En 1799, un officier
de l'armée d'Égypte trouve,
près d'Alexandrie, une stèle
de basalte noir portant des inscriptions
en trois types de caractères.

Les savants qui accompagnent
l'armée de Bonaparte réagissent
immédiatement : cette Pierre de Rosette,
dont les trois écritures correspondent
visiblement à trois versions
d'un même texte, doit leur donner
la clef de l'écriture hiéroglyphique.

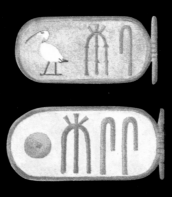

PTOLMYS

PTOLEMAIOS

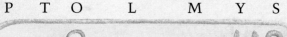

P T O L M Y S

L E O P A T R A

La fièvre monte chez les spécialistes de langues orientales.
Il semble évident que le texte grec, qui reproduit un décret
du roi Ptolémée V, est bien la traduction des deux autres.

Le nom de ce pharaon doit se retrouver dans la version
éroglyphique, entouré d'un cartouche, comme c'était l'usage
pour signaler un nom royal. À partir du grec « Ptolemaios »,
ampollion identifie la forme hiéroglyphique en huit symboles.
n 1822, sur l'obélisque de Philae, il retrouve le cartouche de
olémée, accompagné de celui de Cléopâtre. En les comparant
découvre la valeur phonétique de quatre signes, et parvient
à attribuer aux autres une valeur alphabétique.

En comptant le nombre de hiéroglyphes (1 419) et de mots dans le texte grec (48
Champollion se rend compte qu'il ne peut s'agir d'une écriture purement
idéographique, dans laquelle un signe représente un mot, mais d'une écriture

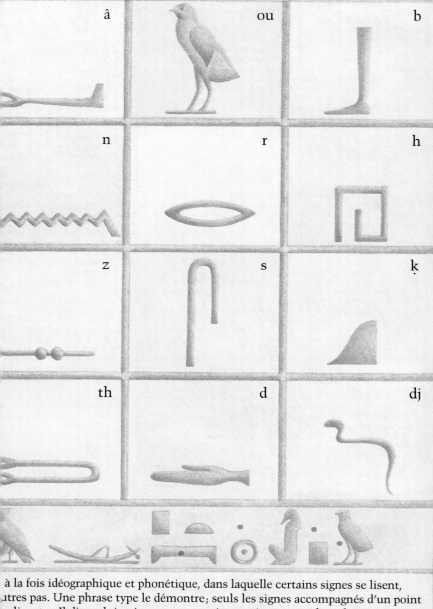

â	ou	b
n	r	h
z	s	ḳ
th	d	dj

à la fois idéographique et phonétique, dans laquelle certains signes se lisent, [au]tres pas. Une phrase type le démontre ; seuls les signes accompagnés d'un point [s]e lisent : « Il dit : celui qui est venu en paix et qui a traversé le ciel : c'est Rê ».

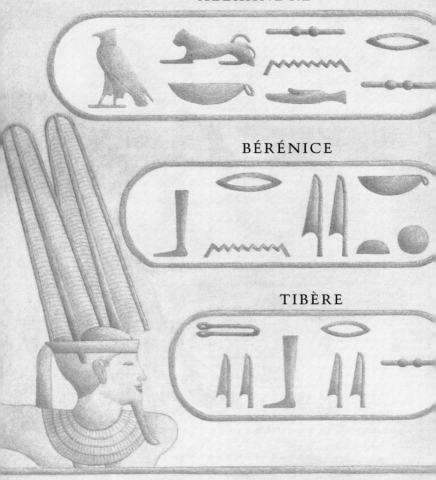

ALEXANDRE

BÉRÉNICE

TIBÈRE

À partir des douze caractères hiéroglyphiques qu'il a identifiés dans les cartouches de Ptolémée et Cléopâtre, Champollion s'entraîne à déchiffrer tous les cartouches dont il possède des copies, tant à partir de la Pierre de Rosette que d'autres monuments. Travaillant sur quatre-vingts noms, il lit successivement ceux d'Alexandre, Bérénice, Tibère, Néron, Vespasien et Trajan.

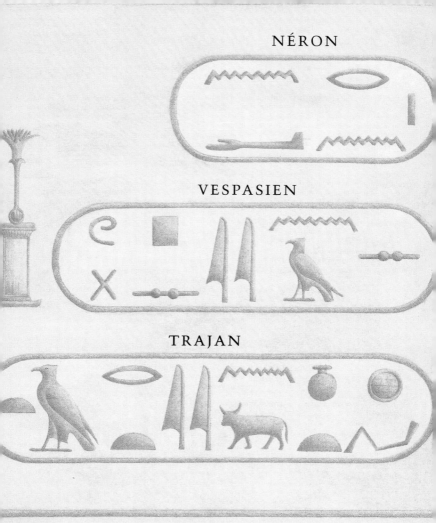

NÉRON

VESPASIEN

TRAJAN

méthode est la bonne. En ce jour du 27 septembre 1822, Champollion peut ⟨a⟩resser à l'Académie des inscriptions et des belles-lettres un texte annonçant ⟨s⟩a découverte : c'est la *Lettre à Dacier, relative à l'alphabet des hiéroglyphes phonétiques employés par les Égyptiens, pour inscrire sur les monuments ⟨l⟩es noms et surnoms des souverains grecs et romains.* Pour tous les savants d'aujourd'hui, elle constitue l'acte de naissance de l'égyptologie.

THOUTMOSIS

Désormais, Champollion ne pense qu'à déchiffrer toujours plus de noms. Il lui faut surtout s'assurer que l'alphabet ainsi retrouvé s'applique aussi à tous ⬛ textes pharaoniques. Sur d'autres copies de textes envoyées d'Égypte, il lit les no⬛ de Thoutmosis et de Ramsès. Il n'y a plus de mystère des hiéroglyphes. Quelqu⬛ années plus tard, il va réaliser le rêve de sa vie, s'embarquer pour l'Égypte et lir⬛ sur place, tous ces textes qui, depuis des siècles, intriguaient les Européens.

RAMSÈS

À Deir el Bahari, un relief peint montre un pharaon offrant un sacrifice :
au-dessus de son bras se trouve le cartouche de son nom : Thoutmosis III,
qui régna vers 1450 avant notre ère. À Thèbes, une peinture de la tombe
d'un jeune prince représente un roi en costume d'apparat. Au-dessus de lui,
le cartouche de son nom, Ramsès. Il s'agit du roi Ramsès III, père du prince
Amonherkheperchef, enterré là vers 1150.

SOMMAIRE

Ouverture
En 1822, Jean-François Champollion signe l'acte de naissance de l'égyptologie.

12
Chapitre 1
LA DISPARITION DE L'ÉGYPTE DES PHARAONS
L'incendie de la bibliothèque d'Alexandrie en 47 av. J.-C. et la fermeture des temples
païens décrétée par Théodose Ier en 391 sonnent le glas de l'Égypte des pharaons.

18
Chapitre 2
LES VOYAGEURS DE L'ANTIQUITÉ
Hérodote, Strabon, Plutarque… pérennisent la mémoire de l'Égypte.

28
Chapitre 3
CROISÉS, MOINES ET CURIEUX AU FIL DU NIL
Après les missionnaires catholiques, les voyageurs du XVIIIe siècle :
Maillet, Sicard et Vivant Denon parcourent l'Égypte et recensent ses richesses.

52
Chapitre 4
AVENTURIERS ET VOLEURS
En 1798, Bonaparte lance la campagne d'Égypte et commande la monumentale
Description de l'Égypte. Au XIXe siècle, les aventuriers pillent et trafiquent impunément.

86
Chapitre 5
L'ÈRE DES SAVANTS
Champollion trouve la clé de l'écriture hiéroglyphique. S'appuyant sur ses travaux,
Lepsius et Wilkinson fondent l'égyptologie en Allemagne et en Angleterre.

100
Chapitre 6
LES ARCHÉOLOGUES AU SECOURS DE L'ÉGYPTE
Pour mettre un terme au pillage systématique, Mariette crée le futur service
des Antiquités de l'Égypte et fonde le musée du Caire. Maspero organise les fouilles
des pyramides de Gizeh et du temple de Louqsor.

112
Chapitre 7
L'ÉGYPTE RETROUVÉE
En 1922, le fabuleux trésor de Toutânkhamon est mis au jour par Howard Carter.

À LA RECHERCHE
DE L'ÉGYPTE OUBLIÉE

Jean Vercoutter

DÉCOUVERTES GALLIMARD
ARCHÉOLOGIE

Au IVᵉ siècle après J.-C., la religion chrétienne est devenue prépondérante dans l'empire romain de Byzance. En 391, l'empereur Théodose Iᵉʳ décrète la fermeture de tous les temples païens de l'Empire. En Égypte, les fidèles des vieux dieux et déesses du pays étaient probablement peu nombreux, mais la fermeture des temples a une autre conséquence, inattendue : l'écriture hiéroglyphique, encore vivante jusqu'à cette époque, cesse brusquement d'être comprise.

CHAPITRE 1

LA DISPARITION DE L'ÉGYPTE DES PHARAONS

Alexandre conquiert l'Égypte en 330 av. J.-C. et y fonde Alexandrie. À sa mort, en 323, Ptolémée Iᵉʳ y ramène son corps et construit un tombeau que l'on recherche encore.

Les prêtres assurent non seulement le culte quotidien, mais aussi l'enseignement de la langue et des écritures indispensables à sa célébration. Or, ces prêtres sont dispersés ; ils disparaissent les uns après les autres, et personne en Égypte ne sait lire les textes gravés sur les monuments encore debout, ou écrits sur les papyrus conservés dans les bibliothèques.

Dans les flammes de la bibliothèque d'Alexandrie, l'histoire de l'Égypte a disparu

La décision de Théodose Ier est d'autant plus grave que lors de la prise d'Alexandrie par Jules César, en 47 av. J.-C., la bibliothèque d'Alexandrie a brûlé. Or, celle-ci, riche dit-on de sept cent mille volumes, possédait de nombreux ouvrages relatifs à l'Égypte des pharaons et, entre autres, l'*Histoire de l'Égypte*, en trente volumes que Manéthon, un prêtre égyptien, avait écrite en grec à la demande de Ptolémée Ier.

En 48 av. J.-C., la guerre civile entre Pompée et César est à son apogée. Battu à Pharsale, Pompée se réfugie en Égypte, mais dans la barque qui l'emmène à Alexandrie, il est assassiné sur les ordres de Ptolémée XII, qui espère ainsi se faire de César un allié dans le conflit qui l'oppose à sa sœur Cléopâtre. Ce geste n'empêche pas César d'occuper le palais royal où il convoque le frère et la sœur.

Manéthon pouvait consulter, dans les bibliothèques et les archives des temples, les textes égyptiens relatant les événements du passé et les traduire ensuite en grec. Par ailleurs, son ouvrage ne retraçait pas seulement les événements depuis la plus haute Antiquité, il décrivait aussi les coutumes des habitants et leur religion ; il traduisait en grec des textes authentiques.

La perte de l'*Histoire de l'Égypte* de Manéthon est des plus malheureuses. En effet, avant l'invention de l'imprimerie, les livres n'existaient qu'en un seul exemplaire, ensuite recopié à la main. Certes, toute grande bibliothèque, comme celle d'Alexandrie, possédait des doubles des ouvrages originaux, et en l'occurrence ceux-ci étaient conservés dans la bibliothèque du temple de Sérapis à Alexandrie même ; par malheur, ce temple fut non seulement fermé, mais détruit et brûlé en 391, de sorte que les ouvrages qui avaient échappé au désastre de 47 av. J.-C. disparurent à leur tour.

Vers 450 de notre ère, non seulement plus personne ne lit ni ne comprend les textes de l'Égypte ancienne, mais encore tout ce que les Égyptiens eux-mêmes ont écrit en grec pour faire connaître leur pays aux étrangers qui l'occupaient, tout, a disparu.

Successeur d'Alexandre, Ptolémée Ier introduit la monnaie d'or, d'argent et de bronze, inconnue des pharaons égyptiens.

Craignant d'être assassinée en traversant Alexandrie occupée par l'armée de son frère, Cléopâtre se fait transporter en bateau au palais, dissimulée dans un tapis. Amusé par ce stratagème, César prend son parti contre Ptolémée. Alexandrie se soulève. Redoutant que la flotte ne se soulève à son tour, César la fait incendier. Le feu gagne la ville, et la bibliothèque disparaît dans les flammes. Il n'est resté aucun vestige de ce qui fut un centre intellectuel rayonnant, un institut de recherche légendaire. Beaucoup plus tard, des peintres romantiques chercheront à en retrouver le souvenir, tel Luigi Mayer, qui, en 1804, a dressé cette vue imaginaire des ruines de la bibliothèque d'Alexandrie.

Une partie de la mémoire de l'Égypte des pharaons a pu être sauvée

Malgré la fermeture des temples et le double incendie d'Alexandrie, tout n'est cependant pas perdu. Les auteurs classiques, grecs et latins, se sont intéressés à l'Égypte, et leurs ouvrages ont été conservés à Rome comme à Byzance. Par ailleurs, l'histoire des Hébreux, à partir du deuxième millénaire av. J.-C., a été souvent liée à celle de l'Égypte, de sorte que plusieurs livres de l'Ancien Testament, tels *la Genèse, l'Exode* ou d'autres, gardent des lambeaux de l'histoire politique de l'Égypte, en même temps qu'ils font allusion aux mœurs des Égyptiens. D'autre part, pour prouver l'authenticité de l'Ancien Testament d'où est sortie la religion chrétienne, les Pères de l'Église primitive, qui avaient beaucoup lu Manéthon, citent fréquemment des passages de son œuvre dans leurs propres ouvrages. C'est ainsi, notamment, qu'ils nous ont transmis la division de l'histoire de l'Égypte en trente dynasties, division adoptée par les égyptologues modernes.

Enfin, la tradition classique grecque et romaine a souvent évoqué la religion égyptienne qui paraissait

Un prêtre, vêtu d'une tunique de lin blanc, sort du temple. À ses côtés, deux autres célébrants agitent un sistre, instrument qui rythme chants et danses rituels. Il s'agit d'une scène du culte d'Isis, célébré à Herculanum, au Ier siècle de notre ère. Isis, sœur d'Osiris, le dieu des morts, est la déesse la plus populaire d'Égypte. Magicienne puissante, elle est adorée dans un grand nombre de temples, dont le plus célèbre est Philae. Avec les Grecs et les Romains, son culte se propage hors de la vallée du Nil, non seulement en Italie, mais aussi en Gaule où l'on a trouvé dans plusieurs sanctuaires des objets égyptiens prouvant qu'ils étaient consacrés à la déesse.

Après avoir vu s'abattre les fléaux sur son pays, le pharaon accorde à Moïse et aux esclaves hébreux la liberté d'aller célébrer la Pâque dans le désert. Bien vite, il se ravise et les fait poursuivre jusqu'aux bords de la mer Rouge ; là, les eaux s'entrouvrent pour permettre le passage des Hébreux, puis se referment, engloutissant l'armée égyptienne. Cet épisode est relaté dans *l'Exode* XIV et XV.

étrange et, par conséquent, attirante. Le culte d'Isis
s'était largement répandu dans l'Empire romain,
en Gaule notamment, ainsi que ceux d'Osiris
et d'Anubis, sauvant de l'oubli les rites, souvent
magiques, de la religion pharaonique.

C'est grâce au gros ouvrage de Plutarque (vers 100
de notre ère), *À propos d'Isis et d'Osiris (De Iside et
Osiride)*, que la légende d'Osiris est mieux connue,
car les textes égyptiens authentiques s'en tiennent
à des allusions.

Obélisque, mot
d'origine grecque,
signifie « épieu »,
« petite broche ».
Les obélisques étaient
des symboles solaires
dressés de part et
d'autre de l'entrée
des temples.

Ainsi, à travers la Bible surtout, beaucoup
d'épisodes plus ou moins légendaires, qui ont trait à
l'Égypte, se sont transmis jusqu'à nous. La traversée
de la mer Rouge par les Hébreux poursuivis par
l'armée de Pharaon, Joseph vendu par ses frères, Joseph
à la cour de Pharaon, Moïse bébé abandonné dans une
corbeille sur le Nil et adopté par la fille de Pharaon,
tous ces récits ont contribué à maintenir le souvenir
de l'Égypte durant le Moyen Âge et la Renaissance.

De leur côté, les nombreux monuments enlevés
à l'Égypte par les empereurs pour embellir Rome
et Byzance n'ont jamais cessé d'intriguer les esprits
par l'étrangeté de leurs textes. C'est à partir des
obélisques apportés à Rome et dressés sur différentes
places de la ville comme la Piazza del Popolo ou la
Piazza della Minerva que le R.P. Athanase Kircher
cherchera, au début du XVIIe siècle, à déceler la clef
de l'écriture hiéroglyphique.

Toutefois, ce sont surtout les récits des voyageurs
qui, en maintenant la curiosité suscitée par le
mystère de l'Égypte, auront une influence décisive
sur la naissance de l'égyptologie.

Les habitants des côtes de la Palestine et de la Syrie ont été les premiers visiteurs de l'Égypte. De belles peintures égyptiennes nous donnent des représentations de ces voyageurs, mais ceux-ci, en revanche, ne nous ont pas laissé de textes sur ce qu'ils avaient vu ou appris du pays. Il faut attendre ces infatigables curieux que sont les anciens Grecs pour recueillir des récits de voyages dans la vallée du Nil.

CHAPITRE 2

LES VOYAGEURS DE L'ANTIQUITÉ

Chaque dieu est présent sur terre sous la forme d'un animal sacré : un faucon pour Horus, une vache pour Hathor, une chatte pour Bastet. L'animal est gardé dans le temple même. Mort, on le momifie et on l'enterre dans un cimetière particulier. Cet aspect de la religion égyptienne va fasciner tous les visiteurs étrangers.

Dans *L'Odyssée*, Homère a décrit un raid de pirates grecs dans le Delta, raid qui tourna mal pour eux puisque, après avoir tué les hommes et rassemblé femmes et enfants pour les emmener en esclavage, ils furent cernés par les Égyptiens et, à leur tour, massacrés ou faits prisonniers; Ulysse était du nombre.

Après les pirates, voici des mercenaires et de paisibles commerçants; dans leurs luttes contre les Assyriens d'abord, puis contre les Perses, les pharaons de la XXVIe dynastie recrutent des mercenaires originaires, pour la plupart, des colonies grecques d'Asie, des Ioniens notamment. À cette occasion, des commerçants grecs s'installent à demeure en Égypte, à Naucratis dans le Delta, ou près des garnisons militaires comme à Éléphantine. Le pharaon leur accorde sa protection.

Malgré leur valeur, les soldats grecs ne peuvent empêcher Cambyse de battre l'armée égyptienne à Péluse (en 525 av. J.-C.), et de s'emparer de l'Égypte. En devenant perse, l'Égypte ne se ferme pas aux étrangers, bien au contraire, car les Perses, maîtres de l'Égypte, le sont aussi de toute l'Asie Mineure, et parmi leurs sujets on compte de nombreux Grecs, entre autres ceux de la côte ionienne et des îles proches.

Hérodote, le voyageur par excellence, arrive en Égypte vers 450 av. J.-C.

Avant son voyage, il a pris soin de lire tout ce que les Grecs ont déjà écrit sur l'Égypte; il est donc bien préparé pour un séjour fructueux, d'autant, et il ne s'en cache pas, qu'il a beaucoup de sympathie pour

Dans la tombe du prince Khnoumhotep, « administrateur du désert oriental », des Bédouins conduits par leur chef, Absha, arrivent en Égypte avec leur famille, les plus jeunes enfants montés sur un âne. Sur cette peinture de Beni Hasan (vers 1900 av. J.-C.), 15 personnages sont représentés, mais le texte précise qu'ils étaient 37 en tout.

les habitants. Son récit occupe une bonne part de son œuvre, et l'on s'aperçoit que fort souvent ce qui paraît le fruit d'une imagination trop fertile ou d'une mauvaise information de la part de ses interlocuteurs égyptiens est en fait exact; aussi est-il utilisé aujourd'hui encore par les égyptologues.

Au demeurant, les informations les plus utiles ne sont pas celles qui portent sur l'histoire politique, mais des observations sur la vie quotidienne, sur la religion, sur le pays même, car Hérodote sait voir et raconter. Grâce à lui, nous connaissons des traits précis de la vie des Égyptiens que les représentations et les textes seuls ne peuvent nous transmettre ni nous expliquer. En Égypte en effet, pour le Grec qu'il est, tout est sujet d'étonnement. Ainsi note-t-il: « Dans tous les pays, les prêtres portent les cheveux longs, en Égypte ils se les rasent. Chez les autres peuples, les proches parents d'un mort se rasent la tête en cas de deuil, en Égypte ils se laissent pousser la barbe et les cheveux qui jusqu'alors étaient rasés. » Cette brève remarque fournit une explication sur un très beau

Sebekhotep, le « grand trésorier » de Thoutmosis IV, a fait représenter dans sa tombe, à Thèbes, les chefs syriens vêtus de longues robes, venus offrir au roi des vases d'or et d'argent sertis de pierres semi-précieuses. Un des chefs est accompagné de sa fillette qu'il tient par la main.

portrait de pharaon… mal rasé. Peint sur un éclat de pierre blanche il s'agit certainement d'un croquis du nouveau pharaon, en deuil de son prédécesseur ; sans Hérodote, nul n'aurait pu le deviner.

Si les rapprochements qu'Hérodote fait entre les dieux égyptiens et les dieux des Grecs sont arbitraires, en revanche, il nous donne des détails précieux sur les fêtes religieuses populaires auxquelles il a assisté. Il décrit par exemple la fête annuelle à Paprémis, dans le Delta : « La cérémonie commence comme partout par des sacrifices et autres rites, puis, dès le coucher du soleil, des prêtres commencent à s'affairer autour de la statue de Mars (Montou), tandis que d'autres vont se poster avec des gourdins devant l'entrée du temple. Des fidèles, au nombre d'un millier, armés de gourdins eux aussi, viennent se grouper face aux prêtres. La statue, à l'intérieur d'un temple miniature en bois doré, a été transportée la veille dans un autre édifice. Les quelques prêtres laissés de garde autour d'elle s'attellent à un char à quatre roues, portant le temple et sa statue. Les prêtres postés à l'entrée du sanctuaire leur en interdisent l'accès ; mais alors tous les fidèles se précipitent au secours de leur dieu et commencent à frapper les prêtres. Ceux-ci ripostent, et une violente bataille s'engage à coups de gourdins. On n'hésite pas, si besoin est, à fracasser quelques crânes, et plus d'un combattant, j'en suis certain, ne s'en relève pas ; on m'a pourtant affirmé qu'il n'y avait jamais de mort » (traduction de Jacques Lacarrière).

Le visage mal rasé du pharaon montre qu'il est en deuil de son prédécesseur.

La représentation des paysages du Nil, parfois du Haut Nil, comme dans cette mosaïque de Palestrina (province de Rome), est le plus souvent fantaisiste. C'est un thème cher aux artistes romains.

Hérodote s'intéresse particulièrement au culte des animaux, si vivant en Égypte à l'époque où il visite le pays. « Dans certaines régions, écrit-il, les crocodiles sont sacrés. Dans d'autres, ils ne le sont pas et sont même chassés. Les gens de Thèbes et du lac Moeris (le Fayoum) les tiennent pour particulièrement sacrés. Ces deux provinces nourrissent chacune un crocodile dressé et apprivoisé. On lui met des boucles d'oreilles, des bracelets aux pattes de devant, on lui donne des aliments sacrés, bref, il mène une vie de prince ! À sa mort, on l'embaume et on l'ensevelit dans un cercueil sacré. À Éléphantine, par contre, loin de le tenir pour tel, on n'hésite pas à le manger. »

Grâce à Hérodote, à la vivacité de son coup d'œil, nous voyons vivre les Égyptiens et, souvent, les représentations dans les temples comme dans les tombes confirment la justesse de ses observations.

Dans le Nil égyptien, on ne voit plus aujourd'hui de crocodiles, alors qu'ils abondaient dans l'Antiquité. Déjà, à la fin du XVIIIe siècle, lors de l'expédition d'Égypte, il fallait aller jusqu'à Thèbes pour en voir. Geoffroy Saint-Hilaire, l'un des savants naturalistes qui accompagnent Bonaparte, en détaillera les particularités et les mœurs dans la *Description de l'Égypte*.

Au Iᵉʳ siècle av. J.-C., Diodore de Sicile et Strabon sont les témoins des mœurs et de la religion de l'Égypte pharaonique

Les récits des écrivains grecs et romains qui viennent après Hérodote, très différents, sont utiles cependant, car l'Égypte reste encore l'Égypte antique et, touristes consciencieux, ils ont avant de partir lu les ouvrages concernant le pays, ouvrages aujourd'hui disparus.

Le type même de ce nouveau voyageur bien informé est Diodore de Sicile. Contemporain de Jules César, Diodore visite l'Égypte. Mais il est bien difficile, dans son œuvre, de discerner ce qu'il a puisé dans ses lectures de ce qu'il a vu lui-même ou appris de la bouche de ses interlocuteurs égyptiens. Plus crédule qu'Hérodote, il accepte sans sourciller l'affirmation des Égyptiens selon laquelle les rats naissent spontanément du limon du Nil ! On trouve très rarement chez lui des remarques prises sur le vif, telle celle-ci : « Dans le temps de la moisson, les premiers épis sont donnés en offrande, et les habitants, placés près d'une gerbe de blé, la battent en invoquant Isis. » Comme tous les étrangers de passage en Égypte, Diodore est étonné par le culte des animaux. Il note même qu'en période de famine il est arrivé aux Égyptiens de se manger entre eux plutôt que de toucher aux animaux sacrés.

De nombreuses momies étaient volées, mises en pièces, écrasées et réduites en poudre car, jusqu'à la fin du XVIIIᵉ siècle, elles étaient considérées comme un remède universel.

Strabon, citoyen romain, de mère grecque (il écrit dans cette langue), est né sur les bords de la mer Noire. Il vient en Égypte aux alentours de 30 av. J.-C., une cinquantaine d'années après Diodore, alors que l'Égypte est une province de l'Empire romain. Grâce à son amitié avec le gouverneur, Aelius Gallus, Strabon peut parcourir le pays dans les meilleures conditions. Il consacre à sa visite jusqu'aux cataractes tout un livre de sa *Géographie*. On retrouve dans son texte des notations rapides qui rappellent Hérodote. Comme ce dernier, il décrit avec amusement les fêtes populaires qu'il a vues : « Le spectacle le plus curieux, à coup sûr, est celui de la foule qui, pendant les panégyries (fêtes religieuses), descend d'Alexandrie à Canope par le canal : celui-ci est alors couvert jour et nuit d'embarcations, toutes chargées d'hommes et de femmes qui, au son des instruments, s'y livrent sans repos ni trêve aux danses les plus

voluptueuses, tandis qu'à Canope même les auberges qui bordent le canal offrent à tout venant les mêmes facilités pour goûter le double plaisir de la danse et de la bonne chère. »

Strabon donne des détails extrêmement précis. Ainsi, lors de sa visite de la ville de Crocodilopolis, dans le Fayoum, il note : « Le crocodile sacré est nourri dans un lac à part, les prêtres savent l'apprivoiser et l'appellent soukos (*sobek* en égyptien). Sa nourriture consiste en pain, en viande, en vin que lui apporte chacun des visiteurs étrangers qui se succèdent. C'est ainsi que notre hôte, personnage considérable dans le pays, qui s'était offert à nous servir de guide, eut la précaution, avant de partir pour le lac, de prendre sur sa table un gâteau, un morceau de viande cuite, ainsi qu'un flacon d'hydromel. Nous trouvâmes le monstre étendu sur la rive, les prêtres s'approchèrent, et tandis que les uns lui écartaient

Les momies sont parfois des simulacres, tel ce crocodile dont seule la tête est vraie, le reste étant formé de tiges de palmier entourées de bandelettes. Le cadavre d'un chien est ramené à une forme cylindrique surmontée d'une partie supérieure coudée qui représente la tête (ci-dessous).

La grande-prêtresse d'Amon Herouben se prosterne devant un crocodile qui incarne ici le dieu de la terre Geb et non, comme le plus souvent, le dieu Sobek.

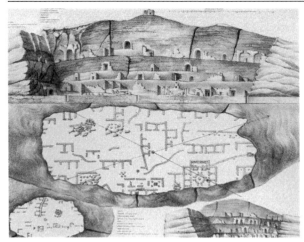

Coupe et plan de la ville de Crocodilopolis comme l'a vue le Marseillais Rifaud lorsqu'il la déblaya en 1823. Peu après son arrivée en Égypte onze ans auparavant, il conçut un plan systématique de fouilles qui le mena à la découverte de 6 temples, 66 statues et plus de 200 inscriptions.

Des statues colossales d'Aménophis III assis gardaient autrefois l'entrée du temple funéraire du pharaon. On a prétendu que l'une d'elles gémissait à l'aube et au crépuscule. Les Grecs l'identifièrent à Memnon, leur héros mort en Égypte. Des réparations effectuées sur la statue sous le règne de Septime Sévère firent taire sa voix, en fait probablement due aux changements de température le matin et le soir.

les mâchoires, un autre lui introduisit dans la gueule le gâteau, puis la viande, et réussit même à lui ingurgiter l'hydromel. Après quoi le crocodile s'élança dans le lac et nagea vers la rive opposée ; mais un autre étranger survint, muni lui aussi de son offrande ; les prêtres la lui prirent des mains, firent le tour du lac en courant et, ayant rattrapé le crocodile, lui firent avaler de même les friandises qui lui étaient destinées. »

Les renseignements fournis par Strabon sont si précis qu'ils seront à l'origine, beaucoup plus tard, de la découverte par Mariette du temple et des tombes des taureaux Apis à Saqqarah, le Serapeum.

D'autres célèbres voyageurs : Plutarque, les empereurs Hadrien, Septime Sévère ou le général Germanicus

Prêtre de l'Apollon de Delphes, Plutarque vivait au Ier siècle de notre ère. Voyageant en Égypte à une époque où Alexandrie possède encore des copies de l'œuvre de Manéthon, il puise dans les trois ouvrages que ce dernier a consacrés à la religion pharaonique l'essentiel de son gros livre sur Isis et Osiris, et dédie ce livre à Cléa, prêtresse de Delphes. En fait, il s'est contenté de vérifier ce qu'a écrit Manéthon, et n'a pas laissé de souvenirs aussi

vivants que ceux d'Hérodote ou de Strabon.
Cependant, c'est à lui que l'on doit de mieux
connaître la religion du plus célèbre des dieux
égyptiens, Osiris.

Faut-il citer aussi les empereurs romains parmi
les voyageurs de l'Antiquité ? Deux d'entre eux au
moins, Hadrien et Septime Sévère, ont gravé leur
nom sur les colosses de Memnon, en souvenir
de leur passage. La plupart des autres témoignent
leur intérêt pour l'Égypte en faisant construire ou
restaurer, en leur nom, des sanctuaires à ses dieux,
mais ils ne se déplacent pas. Une exception
toutefois : l'écrivain latin Tacite nous apprend que
Germanicus s'est rendu en Égypte en 19 apr. J.-C.
pour se faire une idée des antiquités du pays.
Il visita les temples de Thèbes en compagnie
d'un vieux prêtre capable de traduire les textes
hiéroglyphiques en latin ou en grec, langue que le
général Germanicus parlait, comme tout Romain
cultivé. Grâce à ce prêtre, et à Tacite qui a retenu
ses propos, nous avons quelques indications sur
« les tributs imposés aux nations : le poids d'argent
et d'or, le nombre des armes et des chevaux, les
offrandes pour les temples, l'ivoire et les parfums,
les quantités de froment et les provisions que
chaque nation devait fournir. »

Antinoüs, le favori
de l'empereur Hadrien,
se noya dans le Nil
en 125 de notre ère. En
sa mémoire, l'empereur
fonda la ville d'Antinoë.
En 1798, les savants
y virent des ruines
importantes dont
la colonne érigée par
Alexandre Sévère ;
en 1828, Champollion
n'y trouva plus que
des débris.

Comment le roy saint loys en cuidant retorner a damiete fut
prins. le vvbiij. chappre. ❧
                              pres ceste desconfitu
                              re ainsi faitte sur
                              les sarazins ne
demoura gueres apres que

le filz du soudan mort dont
des parties dourent ɀ auriua
a la massore et le receurt
les egyptiens a grande reue
rence ɀ honneur comme leur

Aucun des récits du Ier au XIVe siècle n'est comparable à ceux des Anciens. À l'époque des croisades, on trouve à nouveau des récits de voyages qui parlent de l'Égypte et de ses monuments. Mais alors, plus personne ne sait lire les textes hiéroglyphiques ; l'Égypte est musulmane, il est difficile d'y pénétrer, et les Européens qui y parviennent ne peuvent guère dépasser Le Caire.

CHAPITRE 3

CROISÉS, MOINES ET CURIEUX AU FIL DU NIL

Après la défaite de Mansourah en 1250, l'armée des croisés bat en retraite vers Damiette où elle sera taillée en pièces par les Sarrasins.

Le voyage d'Europe en Égypte est long et pénible. Il faut parfois jusqu'à six mois pour y parvenir, sur des bateaux de petit tonnage, surchargés et inconfortables.

Les voyageurs du bas Moyen Âge et de la Renaissance
ne mentionnent donc que le Delta et ses villes,
Damiette et Rosette notamment, ou les pyramides
de Gizeh; nourris de la Bible, ils voient en elles les
greniers de Joseph! Ils s'intéressent aux souvenirs
chrétiens plutôt qu'à ceux de l'Égypte pharaonique.
Très rares sont, d'ailleurs, ceux qui s'y attardent
plus d'une quinzaine de jours; l'Égypte n'est le plus
souvent qu'une escale au cours du pèlerinage
aux lieux saints.

Il faut attendre le XVIIᵉ siècle pour que s'ouvre
l'ère des grands voyages préludant à la redécouverte
de l'Égypte par l'expédition française de Bonaparte.

Voyageurs par devoir, les moines poursuivent au Moyen-Orient leur tâche d'évangélisation du monde

Capucins, Dominicains et Jésuites ont, dès le début
du XVIIᵉ siècle, des installations plus ou moins
permanentes au Levant, et en particulier au Caire,
d'où ils peuvent rayonner pour répandre l'Évangile.

En 1672, le dominicain Vansleb, d'origine
allemande, est chargé par Colbert d'une mission
scientifique précise : l'achat de manuscrits et de
médailles anciennes. Il arrive au Caire la même année,
parcourt tout le pays, voyage jusqu'en Haute Égypte.

Comme les autres missionnaires catholiques, il
est attiré d'abord par les couvents coptes anciens, et

Au XVIIᵉ siècle, la
visite des pyramides
est toute une
expédition. Le père
Vansleb écrit : « Le 27
avril (1672), j'y allai en
compagnie du consul
français, nous avions
avec nous trois
janissaires pour nous
protéger, de sorte que
nous étions environ
cinquante cavaliers
bien montés sur des
ânes ayant avec nous
des provisions pour
quatre jours. »

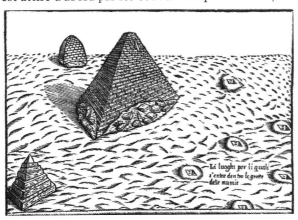

visite les monastères « Blanc » et « Rouge » de Sohag, ainsi que celui de Saint-Antoine, au bord de la mer Rouge. Toutefois, il ne néglige pas pour autant les antiquités : il est le premier Européen à décrire les ruines d'Antinoë, en Moyenne Égypte, la ville romaine qu'Hadrien fit construire en mémoire de son favori Antinoüs qui s'était noyé dans le Nil. Disgracié à son retour en France, Vansleb se voit refuser le remboursement de ses dépenses par Colbert, et meurt désenchanté, sans ressources, quelques années plus tard.

Les coptes, chrétiens d'Égypte et d'Éthiopie, forment une église autonome. Un de leurs couvents, celui de Saint-Siméon à Assouan, probablement abandonné au XIVe siècle, est l'un des plus grands d'Égypte. L'enceinte renferme les cellules des moines, le réfectoire et l'église.

Le Parisien Jean de Thévenot est le premier voyageur, au XVIIe siècle, attiré au Levant par pure curiosité

Traversant la Syrie et la Perse, il va jusqu'aux Indes ; en 1652, en passant, il s'arrête en Égypte. Comme ses prédécesseurs de la Renaissance, Thévenot ne voit que le Delta, Le Caire et ses environs. À Gizeh, il prend les mesures de la Grande Pyramide et en décrit l'intérieur. Il est le premier aussi à soupçonner que Memphis, capitale pharaonique, doit se trouver près de Saqqarah, où il se fait ouvrir un « mastaba » et achète un sarcophage de carton « tout couvert d'idoles et de hiéroglyphes ».

Jean de Thévenot, né en 1633, mourut en Perse en 1667. Par ses gravures, il fit découvrir aux Européens le Moyen-Orient.

En Égypte, il s'intéressa aux momies, comme son contemporain Vansleb qui, à Saqqarah, fit ouvrir un puits au fond duquel il trouva un souterrain rempli de vases contenant des momies d'oiseaux. Il en emporta une demi-douzaine ; dans un autre puits, il découvrit deux cercueils qu'il fit ouvrir. Il raconte sa déception : « Nous ne trouvâmes rien d'extraordinaire et nous les laissâmes là où nous les avions trouvés. » C'est la même opération que Thévenot a fait représenter dans cette illustration de son *Voyage au Levant*, imprimé en 1664.

Maillet publie la première description de l'Égypte

Consul général de France en Égypte, Benoît de Maillet envoie à Louis XIV un certain nombre d'antiquités. Par sa situation, il est le précuseur des trop célèbres consuls du XIXᵉ siècle qui mirent au pillage les antiquités de l'Égypte pour le bénéfice des grands musées européens.

Il approvisionne également le comte de Pontchartrain, et surtout le comte de Caylus qui a lui-même fouillé en Grèce. La plupart des antiquités égyptiennes de la collection Caylus sont maintenant au cabinet des médailles de la Bibliothèque nationale.

Un ouvrage est publié en 1735 d'après les mémoires de Maillet ; son titre seul est tout un programme : *Description de l'Égypte, contenant plusieurs remarques curieuses sur la Géographie ancienne et moderne de ce Païs, sur ses Monuments anciens, sur les Mœurs, les Coutumes, la Religion des Habitants, sur le Gouvernement et le Commerce, sur les Animaux, les Arbres, les Plantes*, etc. Pour la première fois, l'Égypte est décrite dans son ensemble ; les antiquités y figurent en bonne place et Maillet publie une coupe de la Grande Pyramide, qui, en gros, est exacte, même si la hauteur est exagérée par rapport à sa base. Enfin, devançant l'idée de Desaix et de Champollion d'envoyer à Paris un des obélisques de Louqsor, Maillet pense à faire transporter dans la capitale un monument digne d'elle… la colonne de Pompée d'Alexandrie ! Seules les difficultés de l'opération l'obligeront à y renoncer.

Benoît de Maillet publie en 1735 la première coupe de la pyramide de Chéops qui, à l'échelle près, est exacte. Il en décrit l'intérieur, mais il avertit : « À l'égard de l'intérieur de la pyramide, il est si obscur et tellement noirci par les fumées des chandelles qu'on y brûle depuis plusieurs siècles en l'allant visiter, qu'il est difficile de bien juger de la qualité des pierres […]. On reconnaît seulement que leur polissure est extrême ; qu'elles sont de la dernière dureté et si parfaitement jointes les unes aux autres que la pointe du couteau ne saurait pénétrer dans l'espace qui les sépare. »

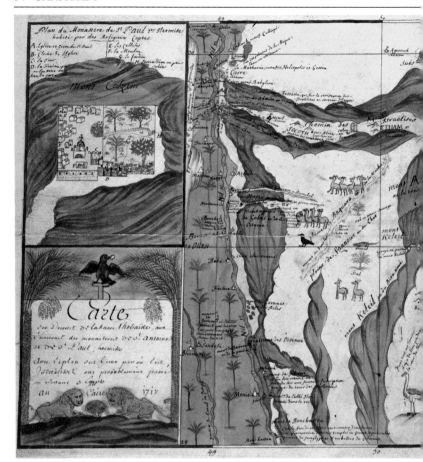

De la Méditerranée à Assouan : la première carte de l'Égypte

Claude Sicard, supérieur de la mission jésuite au Caire, parcourt toute l'Égypte et en dresse la première carte. Le Régent, Philippe d'Orléans, l'a chargé de rechercher les anciens monuments de l'Égypte et de les dessiner ; on lui adjoint donc un dessinateur. Sicard, qui a enseigné les « humanités » au collège

Le voyage de Sicard avait pour but de retracer l'itinéraire de l'Exode et de la traversée de la mer Rouge. Cette carte des déserts de la « basse Thébaïde » fut dessinée en 1717 par un peintre d'icônes arménien, sur les indications de Sicard.

des Jésuites de Lyon, est excellent latiniste et helléniste, par ailleurs il parle et écrit couramment l'arabe. Peu à peu sa quête des monuments se transforme en une recherche sur la géographie ancienne de l'Égypte. Comme Champollion le fera un siècle plus tard, il part des textes grecs, latins, coptes et arabes pour retrouver les noms anciens des villes et des villages qu'il visite systématiquement. Sachant manier le sextant, comme tous les Jésuites

À la suite d'une traversée du désert entre Le Caire et la mer Rouge, Sicard avait relevé tous les éléments destinés à illustrer son projet : végétation, animaux, emplacements des monuments anciens et plans des monastères coptes.

de son temps, il dresse donc la première carte scientifique de l'Égypte, depuis la Méditerranée jusqu'à Assouan. Envoyée au roi en 1722, elle permettra de situer avec précision non seulement Memphis et Thèbes, mais aussi tous les grands temples de l'Égypte : Éléphantine, Edfou, Kom Ombo, Esneh, Denderah… Et lorsque Sicard meurt de la peste au Caire, en 1726, il achève tout juste de rédiger un *Parallèle géographique de l'ancienne Égypte et de l'Égypte moderne*. Il a cinquante ans.

Les précisions apportées par les travaux de Maillet et Sicard facilitent beaucoup les voyages en Égypte, car désormais celle-ci n'apparaît plus comme « une vague et mystérieuse région peuplée de sauvages, de démons, de serpents magiques, de pygmées et de bêtes monstrueuses ». Parmi les voyageurs qui ont précédé de quelques années le débarquement de l'armée française à Alexandrie en 1798, deux doivent être évoqués en raison de l'influence que leurs récits va exercer sur les savants qui accompagnèrent Bonaparte : Savary et Volney.

L'entrée supérieure de la pyramide de Chéphren s'ouvre sur la face nord, à environ 15 m au-dessus du sol. Elle donne accès à un couloir qui descend jusqu'au roc et rejoint le corridor horizontal menant à la salle du sarcophage.

À la fin du XVIIIe siècle, l'Égypte attire de plus en plus de voyageurs

Savary, né à Vitré, voyage pour son plaisir. Il reste au Caire de 1776 à 1779 et, quoi qu'il ait dit, il ne dépasse pas les environs de cette ville. Ses *Lettres écrites d'Égypte* ont trait davantage à l'Égypte moderne qu'aux monuments antiques, qu'il décrit d'après les auteurs classiques ou en empruntant à Maillet et Sicard. Son récit ne manque pas d'agrément ; il nous apprend, par exemple, comment on visitait alors les pyramides.

« À trois heures et demie du matin, nous arrivâmes au pied de la plus grande. Nous déposâmes nos habits à la porte du canal (couloir) qui conduit dans l'intérieur. Nous y descendîmes tenant chacun un flambeau à la main. Vers le fond, il fallait ramper comme des serpents pour pénétrer dans le canal intérieur qui correspond au premier. Nous le montâmes à genoux, nous appuyant des mains contre les côtés. Sans cette précaution, on courait le risque de glisser sur le plan incliné, où de légères entailles ne suffisent pas pour arrêter le pied, et l'on se précipiterait en bas. Vers le milieu, nous tirâmes un coup de pistolet dont le bruit épouvantable répété dans les cavités de cet immense édifice se perpétua pendant longtemps. Il éveilla des milliers de chauves-souris qui s'élançaient de haut en bas, nous frappaient aux mains et au visage. Elles éteignirent plusieurs de nos bougies. »

Savary accompagne sa description de la coupe de la pyramide... qu'il emprunte sans vergogne à Maillet.

Il décrit ensuite la chambre funéraire et son sarcophage au couvercle arraché, encore entouré de « morceaux de vases de terre ».

Par le charme de leur style, les *Lettres* de Savary séduisent beaucoup de Français de l'expédition de 1798. Mais ils lui reprocheront ensuite de les avoir trompés et d'avoir décrit une Égypte idyllique... inexistante.

L'entrée inférieure de Chéphren est creusée à la base de la pyramide, directement dans le roc où, par un long couloir souterrain, elle conduit à la chambre funéraire.

•• À peine eûmes-nous fait un quart de lieue que nous aperçûmes le sommet des deux grandes pyramides. L'aspect de ces monuments antiques qui ont survécu à la destruction des nations, à la chute des empires, aux ravages du temps, inspire une sorte de vénération. L'âme, en jetant un coup d'œil sur les siècles qui se sont écoulés devant leur masse inébranlable, frissonne d'un respect involontaire. Salut aux restes des sept merveilles du monde ! Honneur à la puissance du peuple qui les éleva ! ••

Savary

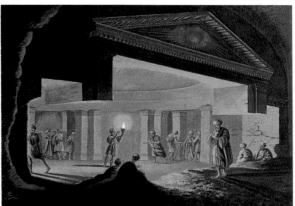

Intérieurs de catacombes ou intérieurs de pyramides, ces immenses caveaux excitent la curiosité de tous les voyageurs.

Avec Volney, ce n'est certes pas l'optimisme qui ressort de son *Voyage en Syrie et en Égypte*. Né à Craon, en Mayenne, en 1757, Volney s'appelle en réalité Chassebœuf. Mais ayant trouvé plus élégant d'emprunter à Voltaire, qu'il admirait, la première syllabe d'un nouveau nom, Vol, il l'a complété de la dernière syllabe du village de Ferney, où habite son héros.

Après de solides études classiques à Angers, Volney s'est installé à Paris, où il a fait sa médecine tout en publiant, à vingt ans à peine, un *Mémoire sur la Chronologie d'Hérodote*. Il s'est alors lié avec les encyclopédistes, Diderot, d'Alembert, Turgot. En 1781, un héritage le décide à voyager : « L'Amérique naissante et les sauvages me tentaient, d'autres idées me décidèrent pour l'Asie ; la Syrie surtout, et l'Égypte me parurent un champ propre aux observations politiques et morales dont je voulais m'occuper. »

Il partit donc pour observer, non sans s'être préparé auparavant, car il est de santé délicate, en s'exerçant à la course, en s'habituant à rester des jours entiers sans manger, en franchissant de larges fossés et en escaladant des murailles élevées, ce qui ne manque pas de surprendre les habitants d'Angers qui le regardent faire. Quand il s'estime en forme, il part, sac au dos,

fusil à l'épaule et « autour des reins une ceinture
de cuir contenant 6 000 francs en or ». C'est
sans doute dans cet équipage qu'il débarque
à Alexandrie en 1782, car, aussitôt arrivé,
ce voyageur extraordinaire ne nous parle plus
de lui. Son *Voyage en Syrie et en Égypte*
ne contient aucune description de l'Égypte,
bien qu'il y soit resté sept mois. Et cependant
il mérite d'être cité car il a été très lu par les
savants de l'expédition d'Égypte qui ont été
frappés par ses remarques sur les antiquités :
« Si l'Égypte était possédée par une nation
amie des Beaux-Arts, on y trouverait pour
la connaissance de l'Antiquité des ressources
que désormais le reste de la terre nous
refuse. À la vérité, le Delta n'offre plus
de ruines bien intéressantes, parce que les
habitants ont tout détruit par besoin ou par
superstition. Mais le Saïd (la Haute Égypte),
moins peuplé, mais la lisière du désert,
moins fréquentée, en ont encore d'intactes.
Ces monuments enfouis dans les sables
s'y conservent en dépôt pour la génération
future. C'est à ce temps qu'il faut remettre
nos souhaits et nos espoirs. » Le souhait de
Volney va être exaucé beaucoup plus vite
qu'il ne croit. Publié en 1787, son ouvrage
est le seul livre que Bonaparte emporte
avec lui en Égypte. Après sa publication,
Volney semble se désintéresser de l'Égypte.
Il mène, il est vrai, une vie agitée : député
du Tiers État en 1789, il devient ensuite
secrétaire de la Constituante. Emprisonné
sous la Terreur, il risque la guillotine.
En 1795, il part enfin pour l'Amérique
mais, accusé d'espionnage, il doit rentrer
en France en 1798. Plus tard, Bonaparte
lui propose de s'associer au Consulat,
puis de le nommer ministre de l'Intérieur.
Fidèle à son idéal révolutionnaire, Volney refuse.
Pourtant, sous l'Empire, il accepte de siéger au
Sénat. Louis XVIII le nomme pair de France.
Il meurt à Paris en 1820.

Les pyramides de Gizeh

Des sept merveilles du monde antique, Chéops, la Grande Pyramide, est la seule qui subsiste aujourd'hui. Avec 230 m de côté, sa base couvre 5 hectares. Elle mesurait à l'origine 146 m de haut. Des blocs de pierre de 1 m³ sont organisés en 201 assises, la première, à la base, mesurant 1,50 m de haut, les suivantes diminuant graduellement jusqu'à atteindre 0,55 m au sommet. Les évaluations donnent un nombre total de 2,6 millions de blocs, représentant une masse de 7 millions de tonnes qui a donc été extraite des carrières voisines, charriée à pied d'œuvre et hissée sur la pyramide au fur et à mesure de son élévation. Pour effectuer ce transport aujourd'hui, il faudrait 7 000 trains de 1 000 tonnes chacun ou 700 000 charges de camions de 10 tonnes ! Napoléon avait fait faire un autre calcul : avec les blocs des trois pyramides, on aurait pu entourer la France d'un rempart de 3 m de haut sur 30 cm de large ! Rien d'étonnant, donc, que des proportions tellement extraordinaires aient pu prêter à toutes les spéculations.

Homme ou lion, le sphinx

Tout aussi mystérieux que les pyramides, le sphinx de Gizeh excite l'intérêt des pèlerins et des voyageurs. Maillet, en 1735, y voyait « une tête de femme entée sur un corps de lion » et se demandait s'il ne fallait pas y voir « les signes du zodiaque de la Vierge et du Lion associés ». Tous les dessins anciens ne montrent du sphinx que sa tête monumentale émergeant du sable. Les opérations de désensablement commencent en 1816, avec Caviglia, sont abandonnées et reprises en 1853 par Mariette. C'est Maspero et Brugsch, en 1886, qui le dégageront complètement et feront apparaître sa forme de lion couché, gardien du tombeau du pharaon Chéphren.

Du haut de ces pyramides...

La Grande Pyramide était à l'origine surmontée d'un « pyramidion » fait d'un seul bloc de granit ou de basalte. Sur les blocs de la plate-forme qui lui servaient de base, voyageurs et touristes ont gravé leur nom. Malgré les dangers d'une telle ascension, nombreux étaient ceux qui tentaient l'escalade. Jean Palerme, en 1581, écrit : « Un gentilhomme curieux d'y monter, parvenu à la cime s'étonna [eut le vertige] de façon qu'il tomba et se fracassa. Tellement qu'on ne lui connaissoit plus aucune forme d'homme. »

La grande galerie et la chambre du roi

Tout en superposant des blocs de pierre, terrasse après terrasse, les constructeurs de la Grande Pyramide avaient aménagé une sorte de labyrinthe intérieur devant mener à la chambre funéraire du pharaon Chéops. Sur la face nord, deux entrées, dissimulées par de gros blocs de pierre, ouvrent sur d'étroits couloirs qui conduisent aux deux extrémités de la grande galerie. Celle-ci, beaucoup plus vaste de dimensions (8,50 m de haut et 47 m de long), permet d'accéder à un palier par lequel on se glisse dans la chambre royale. C'est là que reposait, dans un sarcophage, la momie du pharaon, entourée de trésors. Toutes les précautions prises pour obturer les couloirs et rendre le sanctuaire inviolable n'empêchèrent pas les pilleurs de pénétrer à plusieurs reprises et de tout y dérober. Par la suite, voyageurs aventureux ou paysans voisins se risqueront dans ce labyrinthe, escaladant la grande galerie à la lueur de torches ou contemplant le sarcophage – vide – d'un pharaon mort vers 2600 av. J.-C.

En 1798, débarquent à Alexandrie les soldats de Bonaparte, et avec eux, Vivant Denon

Il est peu de personnages aussi curieux et attachants que le baron Dominique Vivant Denon. Né près de Chalon-sur-Saône en 1747, il a d'abord été gentilhomme de la Chambre sous Louis XV, puis secrétaire d'ambassade à Saint-Pétersbourg et à Naples sous Louis XVI. Bien que noble – petite noblesse, il est vrai –, il survit à la Terreur, à Paris. Plus tard, pendant le Directoire, la toute-puissante Joséphine de Beauharnais s'intéresse à lui, et, sur son intervention, il participe à l'expédition d'Égypte, bien que Bonaparte le juge alors trop âgé : il a cinquante ans. Au retour d'Égypte, Napoléon le nomme directeur général des musées ; c'est lui qui crée le musée Napoléon, c'est-à-dire notre Louvre actuel. À la chute de l'Empire, Louis XVIII se souvient de l'avoir vu à la cour de Louis XVI et le maintient dans son poste. Il ne le quittera qu'après 1815, volontairement, pour protester contre la restitution, exigée par les alliés, des œuvres accaparées sous l'Empire. Retiré, il entreprend une *Histoire de l'art depuis les temps les plus reculés jusqu'au commencement du XIXᵉ siècle*. À soixante-dix-huit ans, sous le règne de Charles X, il meurt à Paris, quai Voltaire, à quelques pas de l'Institut dont il faisait partie depuis 1787.

L'égyptologie naissante doit beaucoup à Vivant Denon. C'est son ouvrage, *Le Voyage dans la Basse et la Haute Égypte pendant les campagnes du Général Bonaparte*, qui marque le début de la renaissance de l'Égypte pharaonique. Le livre paraît en effet à Paris en 1802 et connaît un succès foudroyant : on compte quarante éditions successives, et il est aussitôt traduit en anglais et en allemand. Succès justifié, Denon est un artiste, excellent graveur. Il a suivi en Haute Égypte le corps expéditionnaire de Desaix lancé à la poursuite du mamelouk Mourad, et a fait alors la découverte des monuments de l'Égypte des pharaons.

Vivant Denon commence sa carrière, sous le règne de Louis XV. Cet autoportrait, jeune homme, le visage souriant caché sous un grand chapeau de feutre, est typique de la fin du XVIIIᵉ siècle.

Il s'enthousiasme devant le spectacle des hypogées de la vallée des Rois : « Comment pouvoir laisser de si précieuses curiosités avant de les avoir dessinées ! Comment revenir sans les montrer ! Je demandai à hauts cris un quart d'heure ; on m'accorda vingt minutes montre en mains ; une personne m'éclairait tandis qu'une autre promenait une bougie sur chaque objet que je lui indiquais ; et je fis ma tâche dans le temps prescit avec autant de naïveté que de fidélité. »

Pour l'esthète, c'est la dure vie des soldats en campagne. Pourtant, Denon est enthousiasmé et dessine autant qu'il peut, dans les conditions les plus difficiles, comme il l'explique lui-même : « Assis près de son bureau, la carte devant lui, l'impitoyable lecteur dit au pauvre voyageur poursuivi, affamé, en butte à toutes les misères de la guerre : "il me faut ici Aphroditopolis,

Plus âgé, dans son cabinet de travail, entouré de pièces anciennes, c'est le même Vivant Denon, fondateur du musée Napoléon devenu musée du Louvre.

Crocodilopolis, Ptolemaïs, qu'avez-vous fait de ces villes ? N'aviez-vous pas un cheval pour vous porter, une armée pour vous protéger ? " […] Veuillez bien, lecteur, songer que nous sommes entourés d'Arabes, de Mamelouks, et que très probablement ils m'auraient enlevé, pillé, tué, si je m'étais avisé d'aller à cent pas de la colonne vous chercher quelques briques d'Aphroditopolis. »

Une anecdote, relevée par Anatole France, résume bien les conditions dans lesquelles Denon travaille : « Un jour que la flottille de l'expédition remontait le Nil, il aperçut des ruines et dit : "Il faut que j'en fasse un dessin." Il obligea ses compagnons à le débarquer, courut dans la plaine, s'établit sur le sable et se mit à dessiner. Comme il achevait son ouvrage, une balle passe en sifflant sur son papier. Il relève la tête et voit un Arabe qui venait de le manquer et rechargeait son arme. Il saisit son fusil déposé à terre, envoie à l'Arabe une balle dans la poitrine, referme son portefeuille et regagne la barque. Le soir, il montre son dessin à l'état-major. Le général Desaix lui dit : "Votre ligne d'horizon n'est pas droite. Ah ! répond Denon, c'est la faute de cet Arabe, il a tiré trop tôt." »

Ce sont les croquis faits dans de telles conditions qui servent à Denon pour les gravures des planches de l'atlas qui accompagne le texte du *Voyage*

**En 1797, il rencontre, dans un bal, chez M. de Talleyrand, un jeune général qui lui demande un verre de limonade. Denon lui tend le verre qu'il tient à la main. Le général remercie ; la conversation s'engage, Denon parle avec sa grâce ordinaire et gagne en un quart d'heure l'amitié de Bonaparte. Il plut tout de suite à Mme Bonaparte et devint de ses familiers. L'année suivante, comme il était dans le cabinet de toilette de cette dame, se chauffant à la cheminée, car l'hiver durait encore :
– Voulez-vous, lui dit-on, faire partie de l'expédition d'Égypte ?
– Serai-je maître de mon temps et libre de mes mouvements ? demanda-t-il.
On le lui promit.
– J'irai, dit-il.
Il était âgé de plus de cinquante ans.**

Anatole France

dans la Basse et la Haute Égypte. Sans doute, ses dessins n'ont pas la rigueur de ceux de la *Description de l'Égypte*, qui paraîtront après. En revanche, ils sont beaucoup plus évocateurs. L'Europe, grâce à eux, se fait une idée juste du nombre, de la richesse, de la beauté des monuments qui couvrent l'Égypte. Ce sont eux qui déclenchent ce que l'on a appelé l'égyptomanie, qui va attirer à la fois les savants, comme Champollion, et les pillards en quête de fortune.

Desaix avait établi son quartier général dans des tombeaux, près de Nagada. Vivant Denon est assis, à l'extrême gauche. On voit au centre le général Belliard, l'un des chefs de l'armée d'Égypte, s'apprêtant à arbitrer un conflit entre des Arabes de Nagada et de présumés voleurs.

Revenu de Haute Égypte au Caire en juillet 1799, Vivant Denon rend compte à Bonaparte, dessins à l'appui, de tout ce qu'il a vu. Le futur Napoléon désigne alors deux commissions spéciales de « savants », pour mesurer et dessiner tous les monuments vus par Denon, et continuer les recherches. Ces commissions se rendent immédiatement en Haute Égypte et, en deux ans, préparent l'œuvre monumentale qu'est la *Description de l'Égypte*.

CHAPITRE 4

AVENTURIERS ET VOLEURS

Bonaparte lance : « Soldats, du haut de ces pyramides quarante siècles vous contemplent ! » La bataille des Pyramides frappe les imaginations et inspire nombre de tableaux et gravures.

Imprimée à Paris, de 1809 à 1822, en neuf volumes de textes et onze très grands volumes de planches, la *Description ou Recueil des Observations et des Recherches qui ont été faites en Égypte pendant l'expédition de l'armée française, publié par les ordres de S.M. l'Empereur Napoléon* complète, développe et précise l'œuvre de pionnier accomplie par Vivant Denon. Elle constitue l'assise sur laquelle l'égyptologie a pu se construire.

Redingote d'épais drap vert, culotte ajustée, chapeau de feutre : ce sont les 165 savants de la Commission des sciences et des arts de l'armée d'Orient. Leur costume est totalement inadapté à l'été égyptien.

Dans toute l'Europe, on redécouvre l'Égypte

On imagine mal aujourd'hui l'extraordinaire intérêt que souleva la double publication, et de l'ouvrage de Denon et de celui de la Commission des sciences et des arts de l'armée d'Orient, comme sont désignés collectivement les savants qui rédigent la *Description de l'Égypte*. Du jour au lendemain, pourrait-on dire sans exagérer, l'Égypte devient à la mode. De 1802 à 1830, une dizaine de voyageurs de grande valeur, français, allemands, anglais, suisses, viennent voir sur place les merveilles révélées par le *Voyage* et la *Description*. Les récits et les dessins, fruits de leurs pérégrinations, contribuent à entretenir la vogue croissante que l'Égypte connaît alors.

Cet engouement a une conséquence inattendue : le vol des antiquités. Ces vols sont tolérés, ou même parfois carrément opérés par le gouvernement de

De 1798 à 1801, de nombreux objets, tel ce bronze, sont conservés au Caire, à l'Institut d'Égypte. Les Anglais s'emparent de la plupart d'entre eux et en font leur butin de guerre.

Le temple de Kasr-Qaroun à l'extrémité nord-ouest du Fayoum. « Vue prise à l'heure du coucher du soleil. A droite, la caravane des ingénieurs français, précédés de leurs guides arabes et accompagnés d'une escorte ; à gauche, le campement d'une tribu ennemie cachée derrière des monticules de sable. » Le temple date de la fin de l'époque grecque (Ier siècle av. J.-C.). La ville dont il faisait partie, Dionysias, comportait également une forteresse romaine.

Sur la seconde image, on voit la façade du temple de Kasr-Qaroun. « Le monument est censé être éclairé par un beau clair de lune. À l'entrée les voyageurs se préparent à pénétrer dans l'édifice sous la conduite de leurs guides ; à la droite est le campement de la caravane. » Le plan du temple a été levé par M. Bertre, « ancien capitaine ingénieur-géographe ». Les illustrations de la *Description de l'Égypte* sont toutes accompagnées de ce type de commentaires.

Méhémet Ali. En contrepartie, ils fournissent aux savants des documents de toutes les époques qui leur serviront pour découvrir le secret de l'écriture hiéroglyphique.

À dire vrai, le pillage n'est pas nouveau en Égypte : les trésors des tombes sont bien tentants

Déjà vers 2000 av. J.-C., le pharaon Merikarê avoue à son fils : « On s'est battu dans les cimetières, les tombes ont été pillées, et j'ai fait de même. » En 1100 av. J.-C., le gouverneur de Thèbes découvre que les tombes royales sont systématiquement mises à sac par des bandes de voleurs organisés qui se partagent le butin. L'affaire est jugée à Thèbes, et nous en connaissons le déroulement par les dossiers sur papyrus qui nous sont en grande partie parvenus.

La commission d'enquête nommée par le gouverneur, commença par examiner toutes les

tombes royales : « Tombe-pyramide du fils de Rê,
Sebekemsaf (1700 av. J.-C.). On vit qu'elle avait été
violée par les voleurs, un tunnel ayant été creusé
dans une des chambres de cette pyramide à partir du
hall extérieur de la tombe de Nebamoun, inspecteur
des greniers du roi Menkheperrê (Toutmosis III).
La chambre funéraire du roi a été trouvée sans
le corps du seigneur. Il en allait de même de la
chambre funéraire de la grande épouse royale,
Noubkhas, sa femme. »

L'enquête aboutit à l'inculpation d'un grand
nombre de voleurs, ouvriers ou petits fonctionnaires
appartenant presque tous à l'administration de la
nécropole. Arrêtés et traduits devant le tribunal,
ils prêtent serment et jurent de dire la vérité, faute
de quoi ils pourraient avoir « le nez et les oreilles
coupés, ou être exécutés ». L'un d'eux déclare :
« En l'an 17 du pharaon (régnant) mon maître,
il y a quatre ans, nous avons recherché la tombe

•• Vue des grottes
taillées à l'entrée des
anciennes carrières.
À gauche du tableau,
une grande germe
(bateau) est arrêtée
devant les grottes ; les
colonnes et sculptures
que l'on voit sont
taillées dans le rocher ;
les carrières de grès
sont au-delà. Sur
le second plan est
un rocher isolé qui
a une large tête et
auquel on a prétendu
sans fondement
qu'était jadis attachée
une chaîne servant
à barrer le Nil. ••
Description de l'Égypte

Champollion s'arrête longuement à Selseleh en 1829. Il date correctement de la XVIIIᵉ dynastie (vers 1350 av. J.-C.) la grande chapelle centrale. La chaîne aurait servi à empêcher les bateaux nubiens de pénétrer en Égypte. La pierre des carrières proches était destinée à la construction des temples de Karnak et de Louqsor.

Situé au milieu de l'île d'Éléphantine, ce petit temple (ci-dessous) a été dessiné par Vivant Denon. Moins de trente ans plus tard, lorsque Champollion s'arrêta à Éléphantine, le temple avait disparu, ses pierres ayant probablement été brûlées dans des fours à chaux pour servir à de nouvelles constructions.

du pharaon Sebekemsaf. Nous l'avons forcée. Nous avons ouvert les cercueils extérieurs, puis les cercueils intérieurs. Nous avons trouvé la noble momie du roi équipée en guerrier, elle portait un grand nombre d'amulettes et d'ornements en or au cou, et sa coiffure d'or était en place. La noble momie de ce roi était entièrement recouverte d'or, et son cercueil intérieur était serti de beaucoup d'or et d'argent à l'extérieur comme à l'intérieur, ainsi que de toutes sortes de pierres précieuses.

Nous prîmes l'or qui recouvrait la noble momie, ainsi que les amulettes et les ornements qu'elle portait au cou. Nous avons (de plus) volé tout le mobilier que nous avons trouvé,

à savoir : des objets d'or, d'argent et de bronze, et nous avons partagé le tout entre nous, en huit lots. » Le procès-verbal conclut : « Leurs procès et leurs sentences furent dûment enregistrés et envoyés au pharaon. » Seul celui-ci peut en effet prononcer une peine de mort. Les procès de ce genre occupent des mètres et des mètres de papyrus, et encore, tout ne nous est pas parvenu ! Ils montrent l'ampleur des pillages, mais ils donnent aussi une idée de la richesse des tombes royales, richesse que confirmera bien des années plus tard, en 1922, la trouvaille de la tombe de Toutânkhamon.

À côté des agents des consuls et à leur exemple, les paysans égyptiens pillent eux aussi. Cette aquarelle de Wilkinson montre une femme occupée à chercher des antiquités dans une tombe thébaine remplie de momies.

Les vols se poursuivent : il existe même des manuels du parfait pilleur

Commencé donc par les Égyptiens eux-mêmes, le pillage se poursuit sous les empereurs romains et byzantins qui enlèvent à l'Égypte nombre de monuments, obélisques, sphinx, statues, destinés à l'ornement de leurs capitales, Rome et Constantinople, ou simplement de leurs villas

personnelles, comme le font Hadrien et Dioclétien.
Auparavant déjà, les rois perses avaient envoyé à
Persépolis des statues aux temples.

Par la suite, les coptes, en transformant les temples
en églises, et les ermites, en occupant les tombes
rupestres, détruisent, mutilent ou effacent bas-reliefs
et peintures, ce qui est une autre forme de pillage.

La conviction que des trésors sont cachés dans
les temples, et un riche mobilier funéraire dans
les tombes, semble s'être transmise oralement
en Égypte, de génération en génération.

Un grimoire composé en arabe, et dont on connaît
de nombreux exemplaires, est intitulé *Livre des
Perles enfouies et du Mystère précieux, au sujet des
indications des cachettes des trouvailles et des
trésors*. Il fournit une liste précise des endroits où se
trouvent les trésors, ainsi que les procédés magiques
qu'il faut employer pour se les approprier car, bien
entendu, des génies redoutables, des djinns, veillent
sur eux. Les chercheurs de trésors sont si nombreux
en Égypte qu'au XIVe siècle ils sont imposés en tant
qu'artisans! Des exemplaires du grimoire passaient
encore de main en main au début du XXe siècle,
et un conservateur égyptien du musée du Caire a pu
affirmer, en 1900, que « cet ouvrage a ruiné plus

Dès le début du
XIXe siècle, des
commerçants
du Caire font le trafic
des antiquités qu'ils
achètent aux paysans.
Ici, un sarcophage
avec sa momie et une
statue sont proposés
à un riche Égyptien.

de monuments que la guerre et les siècles », car les
chercheurs de trésors n'hésitent pas à détruire au
marteau ou au pic le mur ou la stèle qui, croient-ils,
dissimule l'entrée de la cachette du trésor.

Au XIXᵉ siècle, voleurs et aventuriers agissent en toute impunité

Lorsque, après 1810, voleurs et aventuriers se
mettent à dépouiller l'Égypte de ses monuments,
ils suivent une longue tradition, et leur activité
est grandement facilitée par le gouvernement
de Méhémet Ali. Né in 1769 en Macédoine,
alors province turque, Méhémet Ali fut incorporé
dans un corps d'Albanais dont il devient le chef
en 1803, quand les Anglais quittent l'Égypte.
En 1805, le sultan turc le nomme gouverneur
de l'Égypte. En 1811, il élimine, en les faisant
massacrer, les mamelouks qui contestent son
autorité. Leur assassinat dans la citadelle du Caire
est resté célèbre.

Corps d'élite de l'armé
turque, les cavaliers
mamelouks étaient très
riches et puissants.
Avec Méhémet Ali,
ils perdent tout pouvoir.

À partir de ce moment, et bien qu'il reste en
principe sous la tutelle du sultan de Constantinople
qui l'a nommé vice-roi, Méhémet Ali règne seul sur
l'Égypte qu'il décide de moderniser. Il engage alors
de nombreux « techniciens », ou soi-disant tels,
français, anglais, allemands, etc., afin de créer
l'industrie qui manque à l'Égypte. C'est parmi
ces étrangers, véritables aventuriers, que vont
se recruter ceux qui, de 1810 à 1850, enlèveront
à l'Égypte bon nombre de ses monuments.

Méhémet Ali
(1760-1849) combat
les Français dans l'armée
turque. Avec l'appui
des mamelouks, il est
nommé vice-roi d'Égypte
en 1805. Initiateur
de la modernisation
de l'Égypte, il fait
construire des usines,
des casernes et des
magasins mais contribue
à la destruction de
nombreux monuments
anciens.

Dans le commerce des antiquités qui va
rapidement prospérer, les consuls étrangers établis
en Égypte jouent un rôle de premier plan. À cela
il y a une explication simple : pour transporter les
monuments convoités, ou pour fouiller, la main-
d'œuvre locale est indispensable. Or, celle-ci, tout
comme la terre, appartient au vice-roi,
Méhémet Ali, propriétaire de l'Égypte
entière. Il faut donc son autorisation
pour recruter des ouvriers, autorisation
accordée par un document écrit, le
firman (mot emprunté au persan, qui
signifie « ordre »). Dès lors, les consuls

sont mieux placés que quiconque pour obtenir les firmans : ils peuvent rencontrer à leur gré le vice-roi qui lui-même a souvent besoin d'eux, ne serait-ce que pour faire venir d'Europe les machines nécessaires à l'industrie naissante.

Ainsi, des consuls généraux comme Anastasi pour la Suède et la Norvège, Drovetti, Minaut et Sabatier pour la France, Salt pour l'Angleterre, se font donner des firmans puis recrutent des agents parmi les aventuriers venus chercher fortune en Égypte, qui, en leur nom, fouillent ou achètent des antiquités et se chargent de les enlever.

Drovetti et son équipe, vers 1818. L'ex-consul de France tient un fil à plomb devant le visage d'un colosse. Un Européen habillé à l'orientale s'adosse à la sculpture : c'est le Marseillais Jean-Jacques Rifaud. À droite, un Nubien à la chevelure caractéristique. Cette gravure figure dans le *Voyage dans le Levant*, de Forbin.

Les collections du consul Drovetti sont exposées aujourd'hui au Louvre, à Turin et à Berlin

Drovetti, d'origine piémontaise, naturalisé français, avait combattu comme colonel lors de l'expédition de 1798. Au cours d'un engagement un peu chaud, il avait sauvé la vie de Murat, le futur beau-frère de Napoléon. Revenu en Égypte en 1803, comme vice-consul, il est nommé consul général en 1810.

Ancien colonel de l'armée française d'Égypte, Drovetti garde une allure martiale, porte moustache et favoris.

Les collections d'objets égyptiens des musées de Turin, Paris, Londres et Berlin proviennent en grande part des fonds constitués par Drovetti et Salt. Sur la très belle statue de granit noir de Thoutmosis III (1490-1436 av J.-C.) du musée de Turin, Rifaud a gravé, avec fautes d'orthographe, « découvert par Jq Rifaud, sculpteur au cervice de M. Drovetti à Thèbes, 1818. » Elle faisait partie de la première collection Drovetti, refusée par Louis XVIII.

Cette position lui permet de se lier avec Méhémet Ali, de sorte que, lors de l'avènement de Louis XVIII, en 1814, s'il perd son poste de consul général, il reste en Égypte et, grâce à la faveur du vice-roi, poursuit ses fructueuses opérations de trafiquant d'antiquités. Les Bourbons, d'ailleurs, ne lui tiennent pas rigueur de son bonapartisme, et il retrouve dès 1820 sa charge de consul général qu'il gardera jusqu'en 1829.

Drovetti participe personnellement à la recherche des antiquités et dirige lui-même les opérations ; toutefois, ce sont surtout ses agents, fort peu scrupuleux et protégés par le firman, qui pillent sans vergogne. Le plus habile est Jean-Jacques Rifaud, sculpteur marseillais en quête d'aventure, qui restera quarante ans en Égypte. Rifaud n'hésite pas à graver son nom, en beaux caractères d'ailleurs, sur les statues égyptiennes qu'il procure à Drovetti. Au cours des querelles entre ouvriers travaillant les uns pour Drovetti, les autres pour Salt, « vif comme la poudre et rouge comme un coq, Rifaud se jette entre les camps hostiles, déverse sur eux des torrents d'éloquence, et finalement une pluie de coups de bâton puisqu'ils s'obstinent à ne pas comprendre le provençal ».

En quarante ans de vie en Égypte, Rifaud exécute quelque 4000 dessins, tels ceux de ce sarcophage et de ces bateaux sur le Nil.

Année après année, les antiquités s'amoncellent dans la cour du consulat. Lorsqu'il pense en avoir assez, Drovetti propose à Louis XVIII de les acheter pour le musée du Louvre, mais le roi refuse, trouvant le prix excessif, et cette première collection Drovetti est finalement achetée 400 000 lires par le roi de Piémont, Charles-Félix. Le musée de Turin devient ainsi le premier musée d'Europe à posséder une collection égyptienne de très grande qualité, avec entre autres pièces magnifiques : les statues, intactes, d'Aménophis Ier, de Thoutmosis Ier, de Thoutmosis III, d'Aménophis II, un sphinx d'Aménophis III, et surtout la grande statue de granit de Ramsès II assis, qui figure dans toutes les histoires de l'art égyptien ; sa base porte l'inscription : « Drt (découvert) par J. Rifaud au service de M. Drovetti, à Thèbes, 1818. » La collection compte plus de mille objets et monuments, sur lesquels, en 1825, Champollion vint vérifier l'exactitude de sa lecture des hiéroglyphes.

Satisfait du résultat de sa première opération commerciale, Drovetti continue ses fouilles et réunit une deuxième collection. Il la propose à la France. Conseillé par Champollion, le roi

Sans moyens de traction ni de levage, mais en employant des centaines de fellahs – les paysans égyptiens –, les chercheurs d'antiquités parvenaient à déplacer jusqu'au Nil des blocs de plusieurs tonnes. Une fois près du fleuve, les monuments étaient chargés sur des bateaux et descendaient jusqu'à Alexandrie, où des navires les rapportaient en Europe

Charles X l'achète, 200 000 francs, pour le musée du Louvre dont elle constitue en grande partie le fonds égyptien. Parmi les pièces de premier ordre ainsi acquises, figure la coupe en or massif du général Thoutii, un chef-d'œuvre de l'orfèvrerie égyptienne.

Continuant ses recherches, Drovetti réunit une troisième collection, qui est achetée en 1836, par le le roi de Prusse, sur les conseils de l'égyptologue Lepsius. Moins importante que les deux premières, elle ne coûta que 30 000 francs; elle était néanmoins très belle.

Avec Henry Salt, des milliers d'objets quittent également l'Égypte

Pendant que Drovetti s'active à Thèbes et à Tanis, Salt ne perd pas son temps. Artiste peintre, il a, dès 1802, parcouru l'Orient pour illustrer les livres que de riches voyageurs publiaient à leur retour en Angleterre. Il séjourne ainsi de 1809 à 1811 en Abyssinie, pays alors particulièrement difficile d'accès. Nommé consul d'Angleterre en Égypte en 1816, il suit aussitôt l'exemple de

En récompense de ses exploits en Palestine (vers 1455 av. J.-C.), Thoutmosis III offrit au général Thoutii cette coupe en or, que l'on peut voir au musée du Louvre. D'après un conte populaire égyptien, il avait pris la ville de Jaffa en dissimulant ses soldats dans des jarres. Cette histoire est sans doute à l'origine du conte arabe *Ali Baba et les Quarante Voleurs*.

Pendant son séjour au Soudan, en 1844, Lepsius, avec l'aide de 92 paysans nubiens et les mêmes méthodes que Belzoni, fait enlever du grand temple d'Amon, au Gebel Barkal, une statue monumentale de bélier représentant Amon le dieu protecteur d'Aménophis II (vers 1450 av. J.-C.) Elle est aujourd'hui au musée de Berlin.

Drovetti. Il reste plus souvent que celui-ci au Caire,
mais il est puissamment aidé par des agents au moins
aussi actifs, sinon plus, que ceux du consul français.
Parmi eux un Grec de Lemnos, Athanasi, plus connu
des voyageurs de l'époque sous le nom de Yanni, et
surtout l'extraordinaire Jean-Baptiste Belzoni. Salt
réunit ainsi une première collection dès 1818, qu'il
offre contre paiement au British Museum. Celui-ci
achète mais en marchandant sur le prix et il ne
propose que 2 000 livres, ce qui ne représente même
pas le coût des fouilles et du transport. Salt retire
alors la plus belle pièce de l'ensemble, le sarcophage
en albâtre de Seti Ier, et la vend à un particulier, Soane,
pour le même prix que tout le reste de la collection.

Avant de devenir
consul général
d'Angleterre, Henry
Salt (1780-1827)
était peintre.

Salt réunit ensuite une deuxième collection,
beaucoup plus importante que la première. Il la
propose d'abord au British Museum, mais sans
doute rebuté par l'attitude de ses compatriotes,
ne fait aucune difficulté pour la vendre en 1824 à
Charles X, pour la somme de 10 000 livres (250 000

francs). La collection Salt, en s'ajoutant à la deuxième collection Drovetti, fait du musée du Louvre l'égal de celui de Turin. La collection figure sur les inventaires du musée pour 4 014 pièces, parmi lesquelles on note : un pan de mur couvert d'inscriptions provenant de Karnak, le sarcophage en granit rose de Ramsès III (l'un des monuments que Drovetti ne se console pas de s'être vu enlever par Belzoni), deux grands sphinx en granit, et le naos, de granit également, du temple de Philae.

Comme Drovetti, Salt réunit une troisième collection, mais elle ne sera vendue qu'après sa mort en Égypte, en 1827. Elle comporte encore 1 083 objets qui, pour la plupart, seront achetés par le British Museum.

Une visite rapide aux musées, celui du Louvre comme ceux de Turin et de Londres, montre que les consuls et leurs agents recherchaient de préférence les monuments les plus impressionnants, ceux de grandes dimensions, le plus souvent de granit : obélisques, sphinx, cuves de sarcophages, statues

Salt illustre en 1802 les *Voyages and Travels* de Lors Valentia. On lui doit cette très belle vue du Caire, la ville aux mille minarets, dans les années 1820. Au premier plan, la grande mosquée du sultan Hassan (XIVe siècle), celle d'El Mahmoudieh et celle de l'émir Akhor (XVIe siècle). La vue est prise de la citadelle.

colossales. Ces monuments sont d'un poids énorme, il faut les sortir de l'endroit où ils se trouvent, souvent de tombes profondément creusées dans le rocher, puis les amener sur la rive du Nil et les hisser sur de simples felouques; tout cela sans aucun moyen mécanique, ni palan, ni grue par exemple. Arrivés enfin à Alexandrie, il faut encore les mettre à bord de vaisseaux à voile de faible tonnage – les bateaux à vapeur, en effet, n'apparaîtront qu'après 1830.

Belzoni à Londres en 1803 dans le rôle du « Samson de Patagonie ». On le voit ci-dessous, en costume turc, en 1820.

Giovanni Belzoni, l'homme des missions impossibles

Le maître incontesté de ces difficiles opérations est l'Italien Belzoni, principal agent de Salt. Comme Vivant Denon, Belzoni est un personnage hors du commun. Né à Padoue en 1778, il part pour Rome à seize ans pour gagner sa vie. Il pense se faire moine lorsque, en 1798, les troupes françaises entrent dans Rome. Il va alors à Londres où il devient saltimbanque. Il est très grand, plus de deux mètres, dit-on, et d'une force prodigieuse : les affiches du théâtre où il est exhibé le présentent comme le « Samson patagon ». Il apparaît sur scène déguisé en Patagon, des plumes sur la tête, et en fin de spectacle, on le voit portant un bâti métallique sur lequel douze personnes se tiennent debout, c'est la « pyramide humaine ».

Après l'Angleterre, il passe au Portugal, puis en Espagne. On le retrouve en 1814, à Malte, où un agent de Méhémet Ali lui suggère de venir en Égypte où ses connaissances en hydraulique, qu'il a acquises on ne sait comment, pourraient être utiles. Accompagné de sa femme et d'un domestique irlandais, il débarque donc cette même année en Égypte et fait aussitôt connaissance avec Drovetti et Burckhardt.

Pendant deux ans, Belzoni travaille à mettre au point et monter une machine hydraulique de son invention, destinée à faciliter l'irrigation. Il la présente à Méhémet Ali; mais bien que cet appareil fournisse, dans le même temps, six fois plus d'eau que la *saquieh*

G. BELZONI Esq.

Dans un ouvrage destiné à l'édification de la jeunesse, Belzoni raconte les péripéties de sa vie : comment il présente sa machine hydraulique à Méhémet Ali ; comment, à l'aide d'une machine de Faraday qu'il vient de réparer, il donne une décharge électrique à Méhémet Ali qui saute en l'air.

traditionnelle, Méhémet Ali, circonvenu par son entourage, refuse de l'acquérir. C'est l'échec total pour Belzoni qui se retrouve sans ressources.

C'est le moment où Salt est nommé consul général d'Angleterre en Égypte. Avant son départ de Londres, un riche collectionneur, membre du conseil d'administration du British Museum, Bankes, lui a demandé de profiter de sa situation officielle pour constituer des collections d'antiquités, tant pour lui-même que pour le musée britannique.

Par ailleurs, Burckhardt, le voyageur suisse, au cours d'un séjour en Haute Égypte, a remarqué dans ce que les savants français avaient baptisé le Memnonium, c'est-à-dire le Ramesseum, une tête colossale de pharaon qui gît devant le temple. Les paysans affirment que les Français ont en vain essayé de l'emporter. Burckhardt a suggéré à Méhémet Ali d'offrir ce monument au prince régent d'Angleterre, mais le vice-roi s'est refusé à croire qu'un prince quelconque pût lui être reconnaissant du cadeau d'une pierre ! L'affaire en était restée là, mais Burckhardt en parle à Bankes d'abord, puis à Belzoni.

Du Ramesseum de Karnak au British Museum de Londres, le long voyage d'un buste de pharaon

Après l'échec de sa roue hydraulique, privé de moyens de subsistance, Belzoni se rappelle tout à coup la tête du Memnonium : n'y aurait-il pas là le moyen de gagner quelque argent ? Accompagné de Burckhardt, il se rend chez Salt qui voit dans l'opération la possibilité de satisfaire Bankes.

« La nouvelle machine commença d'opérer ; quoique construite en mauvais bois et en fer qui ne valait pas davantage, elle aurait pu tirer six à sept fois autant d'eau que les machines ordinaires. Le pacha, l'ayant considérée longtemps, décida qu'elle tirait seulement le quadruple. On fit la comparaison, en mesurant la quantité d'eau produite par ma machine, et celle que fournissaient six des leurs. Mais les Arabes forçaient le travail de leurs bêtes de somme, au point que celles-ci n'auraient pu continuer au-delà d'une heure sur ce pied : aussi eurent-ils le double de la quantité d'eau ordinaire. [...] L'entreprise en resta là, et il ne fut plus question des stipulations que j'avais faites, ni même des indemnités auxquelles j'avais droit de prétendre. »

Belzoni, *Voyages en Égypte et en Nubie*

Il avance donc à Belzoni l'argent nécessaire au déplacement, mais aussi une somme destinée à l'achat de toutes les antiquités qu'il pourra découvrir.

Pourvu du firman l'autorisant à réquisitionner les ouvriers nécessaires, Belzoni part de Boulaq, le port fluvial du Caire, à la fin de juin ; il n'arrive à Thèbes que le 22 juillet, et se rend aussitôt au Ramesseum. « Mon premier désir en me trouvant au milieu de ces ruines, ce fut d'examiner le buste colossal que j'avais à enlever. Je le trouvai auprès des débris du corps et du siège auxquels il était autrefois joint. Le visage était tourné vers le ciel, et on aurait dit qu'il me souriait à l'idée d'être transporté en Angleterre. Sa beauté surpassa mon attente, plus que sa grandeur. »

Il commence les préparatifs pour l'enlèvement. « Les seuls objets que j'eusse apportés du Caire au Ramesseum pour nos travaux consistaient en quatorze leviers, dont huit furent employés à faire une sorte de brancard pour le transport du buste ; en quatre cordes de feuilles de palmier, et en quatre rouleaux, sans aucune machine quelconque. »

•• Le soir, en revenant de Gournah, j'appris qu'ils avaient découvert une tête colossale [...]. Elle était de granit rouge, d'un beau travail, et parfaitement conservée, à l'exception d'une oreille et d'une partie du menton qui avait été abattu avec la barbe. Au bas du cou ce fragment de colosse avait été séparé des épaules. Il était coiffé de la mitre ou mesure de grains. Dans huit jours de temps je l'eus fait transporter à Louqsor, quoique la distance fût un peu au-delà d'un mille. ••

Belzoni, *Voyages en Égypte et en Nubie*

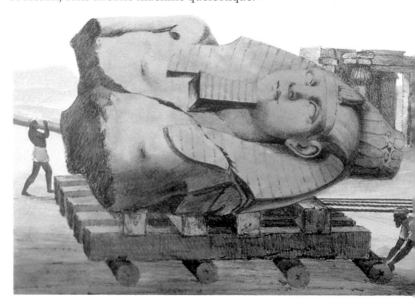

Le 24 juillet, muni de son firman, il demande au *cachef* (gouverneur de la région) les quatre-vingts ouvriers dont il a besoin. Le cachef fait observer qu'il n'y a pas d'ouvriers disponibles et qu'il vaut mieux attendre la fin de l'inondation.

Belzoni insiste et arrache enfin la promesse que des hommes lui soient fournis pour le lendemain, contre récompense au cachef. Le lendemain, point d'ouvriers. De nouveau, ce sont palabres, promesses, cadeaux. Le 27 juillet enfin, quelques hommes arrivent, mais leur nombre est insuffisant.
« Cependant, quand d'autres les virent travailler avec permission, ils se laissèrent aisément persuader à suivre leur exemple. Le charpentier avait construit un brancard, et il s'agissait d'abord de placer le buste dessus. Les fellahs de Gournah, qui connaissaient bien le Caphany (nom qu'ils donnaient au colosse), s'imaginaient qu'il ne pourrait jamais être enlevé du lieu où il gisait, et lorsqu'ils le virent bouger, ils poussèrent un cri de surprise. Quoique ce mouvement fût l'effet

Belzoni était aussi un excellent dessinateur, ce qui lui permettait de rendre compte au jour le jour de ses activités, non seulement dans des notes de voyages, mais dans de magnifiques aquarelles dont les éditeurs tiraient, ensuite, des séries de lithographies.

•• Ce jour-là nous fîmes sortir le buste des ruines du Ramesseum et nous l'avançâmes d'environ vingt-cinq toises (48 m). Pour lui frayer un passage, nous fûmes obligés de briser des bases de colonne. Le soir je me portai bien mal, j'allai me reposer mais mon estomac refusa tous les aliments. Je m'aperçus alors de la différence qu'il y a entre les voyages en bateau au milieu de tout ce dont on a besoin, et la direction d'une entreprise pénible sous un soleil brûlant. ••
Belzoni, *Voyages en Égypte et en Nubie*

de leurs propres efforts, ils en firent honneur au diable; et me voyant ensuite prendre des notes, ils pensèrent que l'opération se faisait par le moyen de quelque charme... Par le moyen de quatre leviers, je fis soulever le buste au point de pouvoir passer en dessous une partie du brancard, et quand le

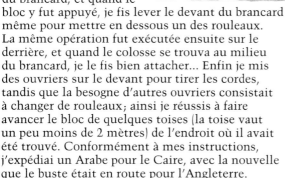

bloc y fut appuyé, je fis lever le devant du brancard même pour mettre en dessous un des rouleaux. La même opération fut exécutée ensuite sur le derrière, et quand le colosse se trouva au milieu du brancard, je le fis bien attacher... Enfin je mis des ouvriers sur le devant pour tirer les cordes, tandis que la besogne d'autres ouvriers consistait à changer de rouleaux; ainsi je réussis à faire avancer le bloc de quelques toises (la toise vaut un peu moins de 2 mètres) de l'endroit où il avait été trouvé. Conformément à mes instructions, j'expédiai un Arabe pour le Caire, avec la nouvelle que le buste était en route pour l'Angleterre.

Karnak. Colosse découvert par Belzoni et colonnade du temple. Belzoni est attiré par le grand temple d'Amon : « A Karnak ce sont d'immenses colonnes qui s'emparent de l'imagination des voyageurs et les forcent d'admirer le peuple qui a su élever des monuments de ce genre. Comment décrire les sensations que j'éprouvais à la vue de cette forêt de colonnes ? »

Le colosse de Ramsès II (à gauche) est aujourd'hui dans la grande salle d'égyptologie du British Museum, non loin de la Pierre de Rosette.

Grâce au récit que Belzoni a laissé dans ses *Voyages en Égypte et en Nubie*, on peut suivre jour par jour la progression vers le Nil, progression lente, difficile, irrégulière : il faut dix jours pour parcourir 620 toises, c'est-à-dire à peine plus de 1 200 mètres ! Le 5 août, enfin, on touche presque au but. Belzoni s'en réjouit : « En conséquence, je me rendis ce jour-là [le 6] de bonne heure sur les lieux, mais, à ma grande surprise, je n'y trouvai que les gardes et le charpentier qui m'apprit que le *caïmakam* (sous-gouverneur) avait défendu aux fellahs de travailler plus longtemps pour les "chiens de chrétiens". »

L'incident est sérieux. En effet, l'eau peut monter d'un jour à l'autre, et le buste resterait alors immobilisé pendant plusieurs mois. Belzoni ne perd pas de temps. Il va à la recherche du caïmakam, lui demande des explications.

Le caïmakam affirme que l'ordre d'arrêt du travail vient du cachef en personne. Belzoni va aussitôt trouver ce dernier. Après explications et nouveau cadeau de « deux beaux pistolets anglais », il obtient l'ordre écrit permettant la reprise du travail. Le 7 août, les ouvriers reviennent, et le 12, enfin, le buste

Au XIXᵉ siècle, les ruines de Karnak, dans un désordre indescriptible, donnent libre accès aux pillages : statues et bas-reliefs sont à qui peut ou veut les vendre. Drovetti et ses agents, Belzoni pour le compte de Salt, s'affrontent ouvertement, parfois avec violence. Un jour qu'il traverse le temple à dos d'âne, Belzoni est malmené par les gens de Drovetti. Il ne doit le salut qu'à l'intervention de Drovetti lui-même.

de Ramsès II atteint heureusement le bord du Nil. Reste à le mettre sur une barque pour l'envoyer au Caire. En attendant un bateau de taille suffisante, Belzoni profite de l'inaction forcée pour visiter les tombes de la vallée des Rois – Puis il se rend en Nubie et voit Abou Simbel : il se promet d'y pénétrer un jour. Il visite Philae, où il prend possession d'un petit obélisque, au nom de Salt. Revenu à Louqsor en novembre, la barque demandée n'est pas là, il traite alors avec des bateliers qui, pour trois mille piastres (1 800 francs), s'engagent à fournir le bateau. Pendant les préparatifs, il fouille à Karnak, y découvre dix-huit statues à tête de lion (la déesse Sekhmet), une statue royale, des sphinx, qu'il emportera avec le buste.

Le 17 novembre, enfin, l'embarquement du buste est effectué, à la stupéfaction des Arabes de Gournah qui s'attendaient à le voir sombrer dans l'eau, avec le bateau.

À côté des grands aventuriers que sont les Drovetti, Belzoni, Rifaud et autres, attirés par l'argent, il en est d'autres plus discrets, moins connus, mais non moins efficaces. Ils achètent aux Arabes qui, eux se passent de firmans et fouillent clandestinement.

Le dessin de Belzoni montre la confusion des ruines de Karnak. On a peine à reconnaître, au premier plan, le premier pylône ; à gauche, la colonne de Taharqa et le deuxième pylône ; à droite le temple de Ramsès III et la succession des pylônes qui jalonnent la route de Louqsor.

Belzoni à Abou Simbel

Abou Simbel avait été découvert par Burckhardt en 1813. Enthousiasmé par ses descriptions, Belzoni décide de s'y rendre à son tour pour être le premier à pénétrer à l'intérieur. En septembre 1815, son bateau s'arrête face aux temples. Il exécute ce dessin, sur lequel on voit, à droite, le petit temple reconnaissable aux six figures colossales qui bordent sa façade et, à mi-hauteur de la falaise, le grand temple.

Un récit rend compte de ses impressions :
« Le sable accumulé par le vent du côté nord sur le rocher qui domine le temple a coulé peu à peu vers la façade et a enseveli l'entrée aux trois-quarts. Quand j'approchai de ce temple, je perdis tout à coup l'espoir d'en déblayer l'entrée ; car les monceaux étaient tels que je ne voyais pas de possibilité d'arriver jamais jusqu'à la porte. »

Le grand temple livre son secret

Le pessimisme de 1815 ne dure pas. Belzoni retourne sur les lieux l'année suivante accompagné de trois Anglais et décidé à dégager le temple. Au bout de trois semaines de travail, les quatre hommes découvrent la porte du temple et se glissent à l'intérieur : « À notre premier coup d'œil nous fûmes étonnés de l'immensité du souterrain ; mais notre surprise fut extrême quand nous nous trouvâmes entourés d'objets d'art magnifiques de toute espèce, de peintures, de sculptures, de figures colossales. » Il décrit les trois salles axiales et leur décor aux couleurs éclatantes puis note : « La chaleur était si forte que nous avions beaucoup de peine à y faire quelques esquisses. » La température en effet est de 44 °C. Faute de vivres, Belzoni et ses compagnons quittent Abou Simbel le 3 août. Ils emportent en souvenir « deux lions à tête de faucon, grandeur nature, une petite statue assise et quelques fragments de cuivre qui avaient appartenu aux portes. » En réalité, Belzoni est déçu : d'un temple inviolé pendant tant de siècles il avait espéré des trésors merveilleux.

Dans la tombe de Séti Ier

Même des tombes quittent l'Égypte mais pour une fois... ce sont des copies. Après avoir découvert dans la vallée des Rois la tombe de Séti Ier et son magnifique sarcophage d'albâtre, Belzoni a l'idée de faire copier avec exactitude les peintures qui ornent la tombe. Exposées à Londres, ces reproductions en couleur et grandeur nature attirent une foule si considérable que le « Titan de Padoue », comme on l'appelle en France, décide de les exposer à Paris. Curieuse coïncidence : le chaland qui les transporte à travers Paris passe devant l'Institut le 27 septembre 1822, à l'heure même où Champollion lit à l'Académie la lettre dans laquelle il annonce que les hiéroglyphes ne sont plus un mystère : il les comprend. Installée boulevard des Italiens, l'exposition de la tombe de Séti Ier connaît le même succès à Paris qu'à Londres ; Champollion lui-même ira y copier des textes. Avec son livre traduit en français et publié en 1821, qui raconte ses travaux en Égypte et en Nubie, Belzoni éveille l'attention des esprits curieux : sans le savoir, il aide Champollion à obtenir les crédits nécessaires à son voyage en Égypte.

Etched by A. Aglio after a Drawing by G. Belzoni.

OF SAMETHIS IN THEBES.

Ainsi se constituent les collections de papyrus, aussi importantes pour l'égyptologie que les monuments amassés pour les grands musées.

Enfin, on ne saurait oublier les travaux des voyageurs désintéressés qui, à la même époque, parcourent le pays. Ils décrivent et dessinent monuments, temples et tombes que pillent les aventuriers. Leurs relevés apportent une aide précieuse aux recherches des savants restés en Europe. Tels sont les Français Cailliaud, Forbin, Linant de Bellefonds, Gau, Huyot; les Anglais Bankes, Barry, Hay, Burton, Hoskins, Roberts, Lane; le Suisse Burckhardt; l'Italien Finati; le Suédois Cronstrand, etc.

Le pillage, le vol des antiquités, au début du XIXᵉ siècle, a été un scandale. Pourtant, s'il a détruit, il a aussi beaucoup sauvé. De 1810 à 1828, treize temples entiers ont disparu : leurs pierres ont servi à la construction d'usines, ou bien ont été brûlées dans les fours à chaux. Nul ne saura jamais combien de statues et de bas-reliefs ont subi le même sort; ceux qui furent enlevés par les aventuriers furent au moins sauvés.

Les peintures et les dessins exécutés par l'Écossais David Roberts (1796-1864) lors de son séjour dans la vallée du Nil, constituent un excellent témoignage de l'état des monuments d'Égypte et de Nubie en 1838 et 1839. Ses aquarelles gardent les couleurs, aujourd'hui disparues, des temples égyptiens. Ci-dessus : partie du petit temple ptolémaïque de Deir-el-Medineh, à Thèbes. À droite : entrée du temple d'Hathor à Denderah encore partiellement enfoui dans les décombres.

Au retour d'un long voyage en Égypte en 1838, l'architecte français Hector Horeau publie un *Panorama d'Égypte et de Nubie*. Sur cette planche, sans aucun respect pour les distances qui les séparent, il représente les monuments principaux de l'Égypte, de la colonne de Pompée à Alexandrie, en bas, jusqu'à Philae, en haut, en passant par les pyramides, Karnak et Edfou.

En 1820, grâce aux récits des voyageurs, aux relevés des peintres et surtout au travail des savants de l'expédition de Bonaparte, le nombre des monuments égyptiens répertoriés s'est considérablement accru. De multiples fragments d'architecture, des statues, des objets et même des documents écrits, papyrus ou estampages de bas-reliefs, ont été rapportés en Europe. Le temps est venu de les « faire parler », et de faire ainsi revivre totalement l'Égypte ancienne.

CHAPITRE 5

L'ÈRE DES SAVANTS

Après des années de travail, Champollion (1790-1832) parvient à déchiffrer l'écriture hiéroglyphique. Quelques années plus tard, il part pour l'Égypte : lorsqu'il voit Abou Simbel, le grand temple a encore toutes ses couleurs vives, comme sur cette figure de Ramsès II rendant hommage aux divinités.

Les savants qui se penchent
sur ces vestiges se heurtent
à un obstacle de taille :
ils ne comprennent pas les
hiéroglyphes ; les textes qui
accompagnent bas-reliefs
et peintures restent pour
eux lettre morte, ce qui cause
de nombreuses méprises,
notamment lorsqu'ils cherchent
à dater temples et monuments.

La pierre de Rosette fournit la clef de l'énigme des hiéroglyphes

En août 1799, un officier du Génie, Pierre Bouchard,
surveille des travaux de terrassement pour la
construction du fort Julien, près de Rosette. Il
remarque, dans un vieux mur que ses hommes
démolissent, une pierre noire et couverte
d'inscriptions. Il alerte son chef, le général Menou,
qui donne l'ordre de transporter la pierre à
Alexandrie. Les savants peuvent alors l'examiner à
loisir. Il s'agit d'une stèle comportant trois parties : en
haut, un texte gravé en caractères hiéroglyphiques ;
au centre, un texte en caractères cursifs rappelant
un peu l'arabe ; en bas, un texte en caractères grecs.
Les hellénistes de l'expédition traduisent celui-ci,
qui est la copie d'un décret de Ptolémée V (196 av.
J.-C.), mais surtout, ils supposent aussitôt que
le texte grec est la traduction des deux premiers,
et donc susceptible de fournir la clef de l'écriture
hiéroglyphique. Ils ne se trompent pas.

Lors de la capitulation des troupes
françaises, les savants cherchent
à sauver la pierre de Rosette, mais
Hamilton, un diplomate anglais,
découvre qu'elle a été cachée
sur un bateau en partance
pour la France. À la tête d'un
détachement militaire, il s'en
saisit comme butin de guerre.

Une séance à l'Institut
d'Égypte : Bonaparte
y fait son entrée. Dans
sa suite on remarque,
reconnaissable à sa
jambe de bois, le
général Caffarelli.

Les ruines de Memphis
en 1798 avec, au fond,
les pyramides de Gizeh.
Au premier plan, la
main d'une statue
colossale qu'un
ingénieur français a fait
placer sur des madriers
pour la transporter.
Ses aides prennent des
mesures. C'est l'une
des gravures de la
Description de l'Égypte,
montrant une scène
de la vie quotidienne
des savants.

Elle se dresse aujourd'hui. à l'entrée des salles égyptiennes du British Museum de Londres.

Fort heureusement, conscients de son importance, les savants français en ont pris des estampages et de nombreuses copies. C'est ainsi qu'un certain capitaine Champoléon en montre une copie à son jeune cousin, Jean-François Champollion, âgé d'une douzaine d'années.

Intrigué par les figures étranges des textes hiéroglyphiques, Champollion se promet de les déchiffrer

Jean-François Champollion est né en 1790 à Figeac. C'est son frère aîné, Jacques-Joseph, connu par la suite sous le nom de Champollion-Figeac, qui s'occupe entièrement de son éducation. Il ne l'envoie pas à l'école, mais lui fait lire tous les livres qu'il peut trouver, quel qu'en soit le sujet. Nommé secrétaire particulier du préfet de l'Isère, Fourier, il fait obtenir une bourse pour le lycée de Grenoble à Jean-François, âgé de douze ans. Fourier est un ancien de l'expédition et le secrétaire de l'Institut d'Égypte. Il a dirigé les deux missions chargées de relever les monuments de Haute Égypte. Champollion-Figeac, lui, n'a pas réussi à faire partie de l'expédition, mais reste passionné de l'Égypte. Élevé dans un milieu où l'on parle constamment de l'Égypte, le jeune Champollion ne peut qu'être confirmé dans son intention d'être celui qui, le premier, déchiffrera les hiéroglyphes.

Pensionnaire au lycée de Grenoble, il ne prend des programmes que ce qui lui plaît. Il se refuse par exemple à étudier l'arithmétique ; en revanche, à treize ans, en plus du latin et du grec obligatoires, il se met à apprendre l'hébreu, l'arabe, le syriaque et le chaldéen (ou araméen). Cet acharnement à l'étude des langues orientales a un but précis : l'Égypte. La Bible, dans son texte hébreu comme dans la version grecque

En dehors des *Livres des morts*, rares sont les papyrus illustrés. Sur ce bel exemplaire (page de droite), le grand papyrus Harris, du British Museum, Ramsès III s'adresse aux dieux de Karnak : Amon, Mout et Khonsou. Les textes sont en hiéroglyphes.

des *Septante*, est alors une des grandes sources de l'histoire de l'Égypte pharaonique ; le syriaque et l'araméen font partie de la tradition biblique ; l'arabe, enfin, est parlé par les habitants de la vallée du Nil, et les historiens et géographes arabes ont perpétué le souvenir de l'Égypte ancienne.

Ses études classiques achevées à dix-sept ans, en 1807, Jean-François est envoyé par son frère à Paris. Il y poursuit pendant deux ans l'étude des langues orientales auxquelles il ajoute le persan et surtout le copte. Déjà il est persuadé que le copte n'est autre que l'égyptien ancien écrit en caractères grecs. Il en est même obsédé, il écrit à son frère : « Mon copte va toujours son train et j'y trouve de grandes jouissances... Je suis si copte que, pour m'amuser, je traduis en copte tout ce qui me vient à la tête... Je veux savoir l'égyptien comme mon français parce que sur cette langue sera basé mon grand travail sur les papyrus égyptiens. » Le mot lui a échappé, « mon grand travail », c'est le déchiffrement des hiéroglyphes. Il a alors dix-huit ans.

Revenu à Grenoble, Jean-François passe son doctorat ès lettres et est nommé secrétaire de la faculté des lettres, puis, à dix-neuf ans, professeur suppléant d'histoire ancienne. Il commence son premier grand ouvrage, au titre interminable selon l'usage de l'époque : *L'Égypte sous les pharaons ou Recherches sur la Géographie, la Religion, la Langue, les Écritures et l'Histoire de l'Égypte avant l'invasion de Cambyse*. Vaste entreprise, dont il n'achèvera que la première partie, la description géographique (parue en 1814).

Il a vingt-quatre ans et commence à être connu, lorsque sa carrière est soudain menacée. Napoléon s'évade de l'île d'Elbe, et Grenoble est une des

"Le lundi à 8 heures et quart, je pars pour le Collège de France, où j'arrive à 9 heures [...]. Je suis le cours de persan de M. de Sacy jusqu'à dix. En sortant du cours de persan, comme celui d'hébreu, de syriaque et de chaldéen se fait à midi, je vais de suite chez M. Audran [...]. Nous passons ces deux heures à causer langues orientales, à traduire soit hébreu, syrien, chaldéen ou arabe, et nous consacrons toujours une demi-heure à travailler la grammaire chaldéenne et syriaque. À midi, nous descendons et il fait son cours d'hébreu. Il m'appelle le patriarche de la classe, parce que je suis le plus fort. En sortant de ce cours à 1 heure, je traverse tout Paris et je vais à l'École spéciale suivre à 2 heures. le cours de M. Langlès, qui me donne des soins particuliers : nous parlons aux soirées.**"**

Paris, le 26 décembre 1807

premières villes à se rallier à lui. On murmure
que c'est Jean-François Champollion qui escalade
le nid d'aigle de la citadelle pour en arracher
le drapeau blanc des Bourbons. Les deux frères sont
présentés à Napoléon qui encourage Jean-François
à publier le *Dictionnaire copte* qu'il vient
d'achever. Ce ralliement spectaculaire à l'Empire
ne fut pas du goût de Louis XVIII qui, après
Waterloo, destitue les deux Champollion de leurs
fonctions officielles. Exilés à Figeac, ils ouvrent,
pour gagner leur vie, une école privée où
ils expérimentent les nouvelles méthodes

Précédé d'un soldat et
accompagné de son
léopard apprivoisé,
Séti Ier, debout dans
son char de guerre,
conduit le défilé des
prisonniers capturés au
cours d'une guerre dans
les « pays de Kouch »
(Soudan). Cette fresque
d'Abou Simbel est
reproduite dans l'ouvrage
de Champollion
*Monuments de l'Égypte
et de la Nubie.*

d'éducation venues d'Angleterre. Cela n'avance
guère le déchiffrement des hiéroglyphes.

  Grâce à l'intervention d'amis parisiens, Jean-
François est réintégré dans son poste de Grenoble
en 1818. Pour peu de temps : en 1821, des troubles
éclatent dans la ville, et le jeune homme y prend
part. Le voici de nouveau destitué.

  Il se réfugie à Paris, auprès de son frère, qui
est secrétaire particulier de Dacier, un helléniste,
secrétaire perpétuel de l'Académie des Inscriptions

Ce profil est celui
de l'un des prisonniers
capturés par Séti Ier
en Syrie.

et Belles-Lettres. Son exil à Paris lui permet
de se consacrer à ses recherches et de trouver
des documents qui lui manquaient en province.

Dans l'aventure du déchiffrement, Champollion a trois concurrents redoutables : l'Anglais Young, le Suédois Akerblad et le Français Sylvestre de Sacy

Des trois, c'est Young le plus dangereux. Comme
Champollion, il a été un enfant précoce : à quatorze
ans, il connaissait déjà le grec, le latin, le français,
l'italien, l'hébreu, l'araméen, le syriaque, l'arabe,
le persan, le turc et l'éthiopien ! Toutefois, il n'a
pas d'idée fixe contrairement à Jean-François.
Sans abandonner la linguistique, il fait sa médecine
et exerce à Londres, fait de la botanique, s'intéresse
à la physique et acquiert la célébrité avec sa théorie
de la propagation ondulatoire de la lumière.

Page d'un papyrus
hiératique semblable à
ceux que Champollion
voit et déchiffre
à Turin en 1824.

    Young, Akerblad, Sacy, Champollion, tous quatre
appuient leurs recherches sur la pierre de Rosette,
dont chacun possède une copie. A première vue,
le problème paraît simple : étant donné un texte
connu – la version grecque de la pierre –, il s'agit
de retrouver la place et la nature des mots
correspondants dans les versions hiéroglyphique et
démotique. Et pourtant, vingt ans après la trouvaille
de la pierre de Rosette, aucun d'eux n'a réellement
progressé. En 1802, Akerblad sait déchiffrer
quelques mots de la version démotique, de même
que Sylvestre de Sacy. Young, pour sa part, en 1819,
donne l'interprétation correcte d'une dizaine de
mots, mais il se trompe dans d'autres interprétations.

Thomas Young essaie
de traduire la pierre
de Rosette en 1819.
Il dispose en parallèle
l'un au-dessus de
l'autre, les textes
démotique et
hiéroglyphique, pour
mieux les comparer.
Malgré des
observations justes,
Young est encore
loin de la découverte
de Champollion.

    Champollion suit avec fièvre les travaux de ses
concurrents, dans la crainte qu'ils ne le devancent.
Aussi est-il souvent injuste à leur égard : il qualifie
les découvertes de Young de « ridicule forfanterie »,
et affirme d'Akerblad qu'il ne pourrait « lire trois
mots dans une inscription égyptienne ».

    En fait, malgré son ironie, Champollion, en 1820,
n'est guère plus avancé. Tous butent sur une
question de principe : l'écriture égyptienne est-elle
idéographique, chaque signe correspondant à une
idée, ou bien phonétique, chaque signe représentant
alors un son comme dans nos langues modernes ?

Ce n'est que le 14 septembre 1822 qu'il comprend
que l'égyptien est à la fois idéographique et
phonétique. Désormais, Champollion ne pense qu'à
approfondir sa découverte. Il lit le plus de textes
qu'il peut : il part à Turin, où la collection Drovetti
est maintenant accessible ; à Aix, il déchiffre les
papyrus que Sallier vient d'acheter à des trafiquants.
Il va à Livourne voir la collection Salt, qu'il fait
acheter par Charles X. Celui-ci le nomme
conservateur des Antiquités égyptiennes du musée
Charles-X (le musée du Louvre), mais c'est à peine
s'il prend le temps d'occuper ce poste.

Le 31 juillet 1828, Champollion réalise enfin le rêve de sa vie : il s'embarque pour l'Égypte

Pendant quinze mois, accompagné de dessinateurs
expérimentés comme Nestor L'Hôte et Lehoux, un
élève de Gros, ainsi que d'une équipe italienne
dirigée par son élève et ami, Rosellini, Champollion
parcourt toute l'Égypte, d'Alexandrie à Assouan,
il se rend en Nubie jusqu'à la deuxième cataracte,
il reste quinze jours à Abou Simbel. Partout il lit,
traduit, copie les textes. De Ouadi Halfa,
le 1er janvier, il présente ses vœux à Dacier,

Appliqués à reproduire
les fresques et
les monuments,
les dessinateurs de
Champollion prennent
aussi le temps de faire
un album souvenir :
ci-dessous, par L'Hôte,
le campement à Philae.

Dans une lettre d'Abou Simbel, Champollion mentionne ces fresques : « Deux rangs de prisonniers africains, les uns de race nègre et les autres de race barbara, formant des groupes parfaitement dessinés, pleins d'effets et de mouvement. » Rosellini les copie pour les publier, au retour dans les *Monuments de l'Égypte et de la Nubie*.

le secrétaire perpétuel de l'Académie, en ajoutant : « Maintenant, ayant suivi le cours du Nil depuis son embouchure jusqu'à la seconde cataracte, j'ai le droit de vous annoncer qu'il n'y a rien à modifier dans notre *Lettre sur l'Alphabet des Hiéroglyphes* ; notre alphabet est bon : il s'applique avec un égal succès d'abord aux monuments égyptiens du temps des Romains et des Lagides, et ensuite, ce qui devient d'un bien plus grand intérêt, aux inscriptions de tous les temples, palais et tombeaux des époques pharaoniques. »

Le voyage en Égypte et en Nubie de Champollion et de Rosellini, et les publications qui s'ensuivirent serviront de modèle aux premiers égyptologues, formés à la lecture des textes hiéroglyphiques grâce à la découverte de Champollion.

Karl Lepsius fonde l'égyptologie allemande, tandis que Wilkinson est à l'origine de l'égyptologie anglaise

K.R. Lepsius, un Allemand de Saxe, vient à Paris en 1833, suit les cours de Letronne au Collège de France et apprend à lire les hiéroglyphes dans les ouvrages posthumes de Champollion. Après avoir passé quatre ans à visiter les collections égyptiennes en Angleterre, en Italie, et aux Pays-Bas, et à parfaire sa connaissance de l'égyptien, il dirige, de 1842 à 1845, la grande expédition en

En décembre 1828, Champollion séjourna à Philae, il note : « Tout y est *moderne*, c'est-à-dire de l'époque grecque ou romaine, à l'exception d'un petit temple d'Hathor et d'un propylône [...], lesquels ont été construits par le pauvre Nectanébo Ier (*sic*). Quand j'ai quitté cette île, j'étais bien las de cette sculpture barbare. »

Égypte que le roi de Prusse organise,
à l'imitation de celle de Champollion.
À son retour en Allemagne, Lepsius
est nommé professeur à l'université
de Berlin et publie les douze volumes
des *Denkmäler aus Aegypten und
Aethiopien* (*Monuments d'Égypte et de
Nubie*), avec leurs 894 planches grand folio
(55 x 70 cm), que les égyptologues utilisent
encore de nos jours, tout comme la *Description
de l'Égypte* et les *Monuments d'Égypte et de Nubie*
de Champollion.

À peine plus jeune que Champollion, Wilkinson
peut être considéré comme le fondateur de
l'égyptologie anglaise. Il part en Égypte en 1821
et fouille à Thèbes pendant une dizaine d'années.
Manners and Customs of Ancient Egyptians, son
grand ouvrage qui utilise ses copies de textes
et ses excellents dessins, a été le premier et,
pendant longtemps, le seul livre à décrire la vie
quotidienne des paysans et des artisans à l'époque
pharaonique.

Fouillant
à Thèbes, Wilkinson
y trouve cette tête de
momie et la reproduit
immédiatement à
l'aquarelle, comme
un archéologue
d'aujourd'hui
s'empresserait de faire
une photo de tout objet
découvert.

Le Français Prisse d'Avennes, arrivé en 1829 comme ingénieur et hydrographe, devient l'un des grands archéologues de cette première moitié du siècle

Prisse d'Avennes est un personnage singulier. Il mérite une place de choix parmi les savants qui ont contribué au développement de l'égyptologie naissante. Né en 1807, il fait des études d'ingénieur et d'architecte. En 1826, il combat avec les Grecs contre les Turcs, lors de la guerre de Morée. On le trouve ensuite secrétaire du gouverneur général des Indes, avant qu'il ne passe en Palestine puis en Égypte. Il devient, en 1829, ingénieur civil et hydrographe de Méhémet Ali, puis professeur de topographie à l'École de l'état-major égyptien. Prisse, de caractère ombrageux, se dispute avec le Bey, directeur de l'École, aussi est-il transféré à l'École d'infanterie de Damiette, comme professeur « de fortifications ».

Le temple funéraire de Séti Ier à Thèbes, s ur la rive ouest du Nil, est dessiné par Lepsius en novembre 1844. L'inondation couvre en partie les champs ; à l'arrière-plan, à gauche, les colosses de Memnon sont encore dans l'eau.

Là, il explore les antiquités du Delta et, surtout, perfectionne son arabe et apprend à lire les hiéroglyphes. En 1836, il démissionne de son poste de professeur, s'habille à la turque, prend le nom d'Edriss Effendi, et se consacre entièrement à l'archéologie.

En 1838, après un séjour en Nubie et à Abou Simbel, il s'installe à Louqsor où il possède une magnifique maison ainsi qu'une belle cange (nom de la barque à voile qui transporte les voyageurs sur le Nil); celle-ci bat pavillon anglais, car il se considère comme le descendant des Price of Aven and Carnarvon, famille galloise qui s'est réfugiée en France du temps de Cromwell! Cela ne l'empêche pas, d'ailleurs, d'avoir à cœur les intérêts de la France.

Tous les archéologues sont patriotes... Prisse d'Avennes et Lepsius sont en concurrence, l'un pour doter le musée du Louvre et l'autre les musées de Berlin

Ayant appris que Lepsius avait l'intention de faire enlever la Chambre du roi ou Salle des ancêtres du temple de Karnak, Prisse recrute des ouvriers, fait scier les blocs de la chapelle pour les alléger, les met en caisses, les embarque et part pour Le Caire.

En cours de route, il croise la flottille de l'expédition prussienne. Lepsius monte à bord du bateau de Prisse. Un témoin raconte cette scène : « Le docteur allemand confia à Prisse d'Avennes qu'il était venu en Égypte tout exprès pour enlever la Salle des ancêtres de Thoutmès III destinée au musée de Berlin. Prisse se garda bien de lui apprendre que les caisses sur lesquelles ils étaient assis tous deux pour prendre le café renfermaient précisément tous les reliefs de la Chambre du roi. »

Prisse offrit à la France la Salle des ancêtres de Karnak, aujourd'hui au musée du Louvre, mais aussi un très long papyrus qu'il avait acheté à un paysan de Gournah. Ce papyrus Prisse, déposé à la Bibliothèque nationale, peut prétendre au titre de plus vieux livre du monde : il remonte à 2000 av. J.-C., et nous donne la copie d'un texte plus ancien encore, attribué à un certain Ptahhotep, fonctionnaire d'un pharaon qui vivait vers 2450 av. J.-C.

Dans la Tombe de Ramsès III (vallée des Rois), Prisse d'Avennes relève le dessin de ces deux fauteuils, puis les reproduit, en couleur, dans son *Histoire de l'art égyptien*.

Au cours de son long séjour en Égypte – près d'une vingtaine d'années – Prisse d'Avennes amasse un nombre considérable de notes, plans, croquis, dessins, estampages, qui serviront à la publication de son *Histoire de l'Art égyptien d'après les monuments, depuis les temps les plus reculés jusqu'à la domination romaine.*

Karl Lepsius exécute en 1843 cette lithographie de la grande salle à colonnes d'Esneh. Seule la salle a alors été dégagée, le temple est encore enfoui dans les décombres.

Ce que Champollion a fait pour la lecture des hiéroglyphes, Mariette va le faire pour l'archéologie. C'est lui qui, en obtenant du vice-roi d'Égypte, Saïd Pacha, la création de la Direction des fouilles, futur service des Antiquités de l'Égypte, met un terme au pillage systématique des antiquités. D'autre part, en recueillant le produit des fouilles de ce service dans le petit musée qu'il installe à Boulaq, le port du Caire, il est également le véritable fondateur de l'actuel musée du Caire.

CHAPITRE 6

LES ARCHÉOLOGUES AU SECOURS DE L'ÉGYPTE

Lors de l'inauguration du canal de Suez, le 17 novembre 1869, Mariette organise la visite des monuments anciens : l'impératrice Eugénie se rend aux pyramides. Cette statue du taureau Apis, aujourd'hui au musée du Louvre, se dressait autrefois à l'entrée du Serapeum de Memphis.

En 1842, Mariette est professeur au collège de
Boulogne, lorsqu'on le charge de classer les papiers
et les notes de son cousin Nestor L'Hôte, le
dessinateur de Champollion, qui vient de mourir.
En regardant ces admirables dessins, il sent soudain
une attirance irrésistible pour l'Égypte.

Il dira plus tard du signe hiéroglyphique qui
représente un canard : « Le canard égyptien est un
animal dangereux : un coup de bec, il vous inocule
le venin et vous êtes égyptologue pour la vie. »
En attendant, il est à Boulogne où il classe la petite
collection d'objets égyptiens du musée municipal,
parmi lesquels figure un cercueil de momie couvert
d'inscriptions ; celui-ci provient de la collection
de Vivant Denon qui, ne comprenant pas les
hiéroglyphes, avait repeint à son idée la plupart
des textes. Mariette l'ignore et le débutant qu'il est
s'obstine pendant des mois à déchiffrer des textes…
sans signification aucune ! Il faillit renoncer à l'étude
des hiéroglyphes qu'il a entreprise seul, à l'aide de
la *Grammaire* et du *Dictionnaire* de Champollion.

Il persévère cependant et entre en correspondance
avec Charles Lenormant et Emmanuel de Rougé,
successeurs de Champollion dans la chaire
d'égyptologie du Collège de France. Ceux-ci sont
étonnés des connaissances qu'il a su acquérir seul. Il
faut croire que la morsure du canard égyptien s'était

En dépit des travaux
de classement de
Mariette, la multitude
de dessins réalisés
par Nestor L'Hôte
est encore en partie
inédite ; telle cette
aquarelle, représentant
Karnak, conservée
à la bibliothèque
du Louvre.

envenimée de façon irrémédiable car Mariette, marié et père de famille, décide d'abandonner la sécurité de son emploi à Boulogne pour se lancer dans l'aventure égyptienne. Ses protecteurs parisiens lui obtiennent un poste des plus modestes au musée du Louvre : il fait des étiquettes et touche 166,66 francs par mois ! Mais cela lui permet de poursuivre sa formation d'égyptologue et d'apprendre le copte.

En 1850, on lui confie une mission pour aller en Égypte acheter des manuscrits coptes

Le moment est mal choisi : peu auparavant, deux Anglais ont visité les monastères coptes du Ouadi Natroun, ils ont enivré les moines à l'alcool et se sont fait donner – sans les payer – un nombre considérable de manuscrits. Le patriarche copte, indigné, n'est donc nullement disposé à laisser un étranger pénétrer de nouveau dans les couvents ; on dit même qu'il a fait murer les portes des bibliothèques ! Lorsque Mariette arrive, il se voit refuser toute autorisation d'entrer dans les couvents. Nous sommes en octobre 1850.

Désœuvré, Mariette décide d'abandonner la mission dont il est chargé et d'employer les fonds qui lui ont été confiés à tout autre chose que l'achat de manuscrits coptes. Toute la personnalité de Mariette peut se résumer là : goût du risque et de l'aventure, confiance en soi, rapidité de décision.

Mariette entreprend la fouille du Serapeum de Memphis

S'installant à Saqqarah, il aperçoit, le 27 octobre 1850, un sphinx à demi ensablé… « Au même instant, un passage de Strabon me revint à la mémoire, écrit-il : "On trouve, de plus, à Memphis, un temple de Sérapis dans un endroit tellement sablonneux que les vents y amoncellent des amas de sable sous lesquels nous vîmes les sphinx enterrés, les uns à moitié, les autres jusqu'à la tête, d'où l'on peut conjecturer que la route vers ce

" Mes campagnes du Serapeum éveillèrent tous les instincts de lutteur qui sommeillaient en moi. De retour en France, j'ai essayé de m'acharner sur un texte, de me persuader que c'était le but de la science, je n'ai pas pu… Je me mettais à ruminer quelque projet d'exploration à Thèbes et dans la nécropole d'Abydos, ou à rédiger un mémoire sur l'intérêt qu'il y aurait pour la science à instituer un Service de protection des monuments, service dont, naturellement, j'étais le chef. J'en serais mort ou devenu fou si je n'avais pas eu l'occasion de revenir promptement en Égypte. **"**

Mariette,
Lettre à Maspero

temple ne serait pas sans danger si l'on était surpris par un coup de vent." » Et Mariette poursuit : « Ne semble-t-il pas que Strabon ait écrit cette phrase pour nous aider à retrouver, plus de huit siècles après lui, le temple fameux consacré à Sérapis ? Le doute, en effet, n'était pas possible. Ce sphinx ensablé, compagnon de quinze autres que j'avais rencontrés à Alexandrie et au Caire, formait, de toute évidence, une partie de l'avenue qui conduisait au Serapeum de Memphis ! J'oubliai en ce moment ma mission, j'oubliai le patriarche, les couvents, les manuscrits coptes et syriaques, et c'est ainsi que le 1er novembre 1850, par un des plus beaux levers de soleil que j'aie jamais vus en Égypte, une trentaine d'ouvriers se trouvaient réunis sous mes ordres, près de ce sphinx qui allait opérer dans les conditions de mon séjour en Égypte un si complet bouleversement. »

Le Serapeum de Memphis, la nécropole souterraine des taureaux Apis, aujourd'hui encore, demeure une des grandes découvertes de

En 1850, Auguste Mariette trouve la route bordée de chapelles qui va le conduire aux grands souterrains du Serapeum (ci-dessus, porte d'entrée). Le dégagement se poursuivra jusqu'en 1854. Page de droite, taureau Apis, conservé au musée du Louvre.

l'égyptologie, même après la mise au jour des momies royales de Deir-el-Bahari, du tombeau de Toutânkhamon, ou des tombes royales de Tanis.

La fouille dure plus de deux ans. Dégageant, sphinx après sphinx, la route qui mène au temple, Mariette n'arrive aux abords du Serapeum proprement dit que le 11 février 1851, et avec des crédits presque épuisés. Il n'a pas encore soufflé mot de sa découverte. Il se résigne donc à l'annoncer officiellement en France pour obtenir un peu d'argent. À la demande de l'Institut, le Parlement français vote le 26 août 1851, dans l'enthousiasme, un crédit extraordinaire de 30 000 francs pour permettre de poursuivre les fouilles.

Dans son ardeur, Mariette a oublié qu'il est en Égypte, et que ses trouvailles n'appartiennent pas à la France ! La réaction ne se fait pas attendre : ordre lui est donné d'arrêter immédiatement la fouille et de remettre aux agents égyptiens tous les objets découverts jusqu'alors. De longues discussions s'engagent alors entre l'Égypte et la France. Avec sa famille qui, lasse de l'attendre à Paris, est venue le rejoindre, Mariette attend le résultat des négociations entre diplomates. Le 12 février 1852, enfin, le consul général de France obtient la levée de l'interdit : un firman en bonne et due forme autorise la France à reprendre les fouilles.

Celles-ci sont difficiles. Au moment où le khédive avait arrêté ses travaux, Mariette venait justement de découvrir une entrée conduisant aux souterrains où reposent les momies des taureaux. Dès l'Antiquité, ces souterrains ont été bouleversés : couvercles des sarcophages brisés et basculés, stèles arrachées des parois, statuettes funéraires et petits objets répandus sur le sol. Mariette remet tout en ordre, de sorte que la visite du Serapeum devient une attraction pour les personnages importants de passage en Égypte.

Cette découverte a été un événement capital pour Mariette comme pour l'égyptologie. En février 1851, Mariette est un inconnu ; trois mois plus tard, sa réputation est internationale. Avant le Serapeum, il pouvait encore faire une carrière de bibliothécaire ou de conservateur de musée ; après, ce n'est plus

Lorsqu'un visiteur important vient à Saqqarah, Mariette le retient un moment chez lui, puis le conduit dans les souterrains. Entre-temps, suivant un scénario bien au point, des centaines d'enfants assis sur le sol, immobiles, tenant chacun une bougie allumée, ont été placés le long de la galerie principale : « On ne peut s'imaginer, a écrit un de ces visiteurs, l'impression produite par l'aspect de cet immense souterrain, dont l'éclairage ainsi disposé semble avoir quelque chose de fantastique... Sur la galerie s'ouvrent des chambres latérales, dans lesquelles sont les immenses sarcophages des Apis. Chacune était éclairée comme le reste... de quelque côté que l'on se tourne, l'effet est véritablement magique. »

possible : il a goûté aux joies de la recherche sur le terrain, à l'ivresse de la découverte, il ne peut plus s'en passer.

Avec l'aide de Ferdinand de Lesseps, alors occupé à creuser le canal de Suez, Mariette revient en Égypte en octobre 1857. Il est chargé de préparer le voyage en Égypte du prince Napoléon, cousin de Napoléon III, et de réunir pour lui une collection d'antiquités qui lui sera offerte par le nouveau khédive, Saïd Pacha. Chaleureusement accueilli par Saïd Pacha, qui lui donne de l'argent et met à sa disposition un bateau à vapeur, Mariette entreprend aussitôt des fouilles : à Gizeh, Saqqarah, Abydos, Thèbes, Éléphantine même ! Le prince Napoléon renonce à son voyage, mais Mariette réussit à convaincre Saïd Pacha de réaliser ses rêves.

Saïd Pacha, vice-roi d'Égypte (1822-1863), appelle Mariette en 1858.

Le 1er juin 1858, Mariette est nommé «Maamour», directeur des travaux d'antiquités en Égypte

Le vice-roi Saïd Pacha lui donne tous moyens et tous pouvoirs. Un bateau à vapeur lui est attribué pour ses déplacements, il est autorisé à réquisitionner toute la main-d'œuvre qui lui sera nécessaire, des crédits lui sont alloués « pour déblayer les ruines des temples et les consolider, pour ramasser partout les stèles, les statues, les amulettes, tous les objets d'un transport facile, afin de les mettre à l'abri de la cupidité des paysans, ou de la convoitise des Européens ». Grâce à Mariette, ce qui va devenir le service des Antiquités et le

Mariette est ici entouré de ses filles Louise et Sophie et de quelques amis ; à gauche l'égyptologue Rochemonteix.

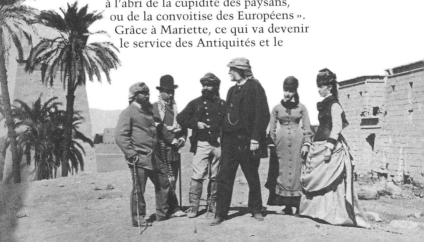

Musée égyptien est en place. Toutefois, il a les plus grandes difficultés à appliquer les mesures de protection projetées. Trop d'intérêts sont en jeu pour que les pillages cessent d'un coup. Les paysans égyptiens ont maintenant pris conscience de la valeur des antiquités qu'ils peuvent se procurer par des fouilles clandestines.

Une étonnante enquête policière mène à la découverte de la cachette des momies royales de Deir-el-Bahari

En 1857 et 1858, Mariette a découvert à Thèbes, sur la rive opposée à Louqsor, la tombe d'un pharaon et d'une reine de la fin de la XVIIe dynastie (vers 1600 av. J.-C.), dans laquelle se trouvent de très beaux objets en or et en argent. À la suite d'un incident avec le gouverneur de la province thébaine, tous les habitants de Gournah savaient que sous leurs pieds dormaient des richesses incalculables à leurs yeux. Le village est, en effet, construit au-dessus des tombes dont ils occupent souvent les chapelles creusées dans le rocher, chapelles où débouchent les puits d'accès aux chambres souterraines qui renferment momies et mobilier funéraire. Les villageois de Gournah, instruits par l'exemple des archéologues, allaient donc devenir les fouilleurs clandestins les plus actifs de toute l'Égypte.

À partir de 1875, les antiquaires de Louqsor proposent aux riches touristes de très beaux objets, notamment des papyrus en excellent état. Un colonel écossais, Campbell, achète un grand papyrus en écriture hiératique, ayant appartenu au pharaon Pinedjem, de la XXIe dynastie (vers 1000 av. J.-C.), alors qu'au même moment les marchands d'antiquités proposent de petites statuettes

Dans le jardin du musée de Boulaq, des équipes d'ouvriers mettent en place le tombeau de marbre, en forme de sarcophage, qui contient le corps de Mariette. La photo a été prise le 8 mai 1882. Le musée de Boulaq, fondé par Mariette, se trouvait au bord du Nil. Il avait été installé dans d'anciens magasins de la compagnie de remorquage du port. Dans le jardin qui le précédait, parmi les sphinx et les statues monumentales, les visiteurs étaient accueillis par la chienne Bargoût, gardienne du musée, et par la gazelle favorite de Mariette, Finette.

Dans la falaise surplombant le temple de Deir-el-Bahari, le 5 juillet 1881, des tombes dissimulées depuis deux millénaires dévoilent leurs trésors : les corps embaumés des plus célèbres pharaons.

de faïence bleue, des *ouchebtis*, inscrites au nom de ce même pharaon.

Gaston Maspero entend parler du papyrus de Pinedjem et en déduit qu'il doit provenir d'une tombe encore inconnue. Avec la brusque apparition des ouchebtis, il soupçonne que cette tombe a été pillée depuis peu de temps.

Au printemps de 1881, devenu directeur des fouilles après la mort de Mariette, Maspero entreprend à Louqsor une enquête qui le mène à un certain Mustafa Agha Ayat, marchand d'antiquités, mais aussi agent consulaire pour l'Angleterre, la Belgique et la Russie, ce qui lui donne l'immunité diplomatique. Au demeurant, Mustafa ne pouvait être que le receleur et non le fouilleur clandestin.

L'enquête se poursuivant, les soupçons de Maspero se fixent sur trois frères, habitants de Gournah, les Abder Rassoul, l'un, Mohammed, est l'employé de Mustafa, les deux autres des trafiquants d'antiquités. Il fait arrêter Mohammed, qui est emprisonné à Qeneh, mais nie toute participation à des fouilles clandestines, et les notables du village se portent garants de son honnêteté. Il faut le relâcher. Cependant, le séjour en prison l'a fait réfléchir. Craignant que ses frères ne fassent de lui un bouc émissaire à la suite de dissensions familiales, il avoue au gouverneur de la province qu'en 1871 ils avaient bien découvert une cachette remplie de momies et d'objets de toutes sortes.

Ces statuettes, appelées ouchebtis, shaouabtis, ou simplement répondants, étaient chargées, selon les croyances de l'ancienne Égypte, d'accomplir dans l'au-delà les corvées que le dieu des Morts, Osiris, pouvait imposer à la personne dont elles portaient le nom. Ces répondants, très nombreux puisqu'il en fallait un par jour, donc 365 par an, plus un chef d'équipe par groupe de 10, soit au total plus de 400, étaient enfermés dans de petits coffres en bois déposés au fond de la tombe, près du cercueil. Leur présence sur le marché des antiquités était donc, et est toujours, le signe que la tombe à laquelle elles appartiennent a été pillée.

Maspero étant alors en France, le khédive désigne une commission d'enquête composée de l'Allemand H. Brugsch, ancien assistant de Mariette, du conservateur égyptien du musée de Boulaq et d'un inspecteur. Le 5 juillet, Mohammed Abder Rassoul les conduit au pied de la falaise thébaine, près du temple de Deir-el-Bahari. Une difficile escalade de quelque soixante mètres les amène devant une fissure dans la paroi rocheuse : soigneusement dissimulée par du sable et des pierres, s'ouvre la bouche d'un puits qui s'enfonce dans la montagne.

L'expédition découvre, à onze mètres de profondeur, les cercueils des plus célèbres personnages des XVIIIe et XIXe dynasties

Un interminable couloir mène à une grande chambre irrégulière, mal éclairée. Brugsch bute dans des sarcophages et du mobilier funéraire qui encombrent aussi bien le couloir que la salle. À la lueur étroite de sa bougie, il peut lire au passage, inscrits sur les cercueils, les noms des plus prestigieux pharaons des XVIIIe, et XIXe dynasties : Amosis, Thoutmosis Ier, II, III, Aménophis Ier, Ramsès Ier, II, III, ceux des reines : Nefertari, Hatshepsout, Aahotep, ainsi que ceux des princes et princesses, leurs enfants, et de très hauts fonctionnaires de la cour.

Gaston Maspero (1846-1916) succède à Mariette à la direction du musée de Boulaq et organise, entre autres, les fouilles des pyramides de Gizeh et du temple de Louqsor.

" Un calme et doux sourire planait encore sur ses lèvres, et les paupières à demi fermées laissaient glisser comme une lueur sous les cils qui semblaient humides et brillants ; elle était due au reflet des yeux de porcelaine blanche, placés dans les orbites au moment de l'embaumement. **"**
Gaston Maspero

Brugsch n'en croit pas ses yeux : au milieu de ces sarcophages qu'il n'arrive pas à compter tant il y en a, gît du mobilier funéraire : coffres à ouchebtis, vases canopes d'albâtre ou de calcaire où étaient déposés les viscères des momies lors de l'embaumement, vases de faïence et de bronze, tablettes inscrites, et jusqu'à une tente complète qui avait servi lors d'un enterrement. C'est dans cet incroyable amoncellement d'objets inappréciables que les frères Abder-Rassoul puisaient depuis des années.

Devant cette extraordinaire découverte, les enquêteurs sont embarrassés. Que faire ? Refermer le puits et attendre le retour de Maspero ? C'est imprudent, des indiscrétions sont possibles et même inévitables ; quelle garde, même armée pourrait s'opposer à une foule surexcitée, attirée par la masse des trésors accumulés que son imagination aura grossie hors de toute proportion. Brugsch décide donc d'enlever aussitôt le tout pour l'emmener au Caire. Il recrute trois cents ouvriers. En six jours sarcophages, momies, objets, tout est transporté à Louqsor et, peu après, sur un bateau à vapeur spécialement venu du Caire qui, « le temps de charger, repart pour Boulaq avec son fret de rois. Chose curieuse, de Louqsor à Qouft, sur les deux rives du Nil, les femmes fellahs échevelées suivirent le bateau en poussant des hurlements et les hommes tirèrent des coups de fusil comme ils font aux funérailles » (Maspero). Que pleurent-ils ? Leurs ancêtres lointains… ou la perte d'un butin sans prix ?

Pourquoi ces momies avaient-elles été enlevées de leurs tombes originelles et dissimulées à Deir-el-Bahari?

Dès la XXIᵉ dynastie, entre 1150 et 1080 av. J.-C., les habitants de Thèbes ont violé la nécropole, s'attaquant de préférence aux sépultures des pharaons, dont ils connaissent la richesse. Malgré de lourdes condamnations : mort, amputation du nez et des oreilles, ou au minimum bastonnade, les pillages continuent. Ils prennent une telle ampleur que les prêtres décident de retirer toutes les momies

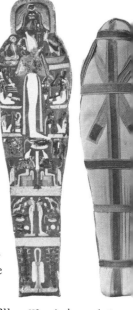

"Les Arabes avaient mis au jour un caveau entier de pharaons. Et quels pharaons ! Les plus illustres, peut-être, de toute l'histoire d'Égypte : Thoutmosis III et Séti Iᵉʳ, Amosis le Libérateur et Ramsès II le Conquérant ! Arrivé aussi soudainement au milieu d'eux, Emil Brugsch pensa être victime d'une hallucination et, comme lui, je m'étonne encore de n'avoir pas été le jouet d'un rêve lorsque je vois, et touche, ce qui fut le corps de tant de personnages dont jamais n'aurions espéré connaître autre chose que les noms. **"**
Gaston Maspero

de leurs tombes. Ils les rassemblent d'abord dans une seule sépulture plus facile à surveiller, puis dans une autre ; enfin ils les cachent dans la grande salle et le couloir le Deir-el-Bahari, dont l'entrée à flanc de montagne est très difficile à atteindre.

Grâce aux procès qui nous sont parvenus, il est facile de comprendre pourquoi la cachette de Deir-el-Bahari, compte tenu du nombre des momies, ne comporte qu'un mobilier funéraire réduit où ne figurent pratiquement pas l'or et l'argent pourtant si abondants dans le mobilier royal traditionnel. Lorsque les prêtres déplacèrent les momies, argent et or avaient depuis longtemps été fondus dans les creusets de fortune des pillards.

Si les prêtres de la XXIᵉ dynastie ne purent sauver les mobiliers, ils ont préservé l'essentiel à leurs yeux : le corps même des rois. Ainsi possédons-nous encore les momies des plus grands pharaons du Nouvel Empire, avec les papyrus et les textes inscrits sur les momies et les cercueils. Ce fut pour l'égyptologie naissante une mine prodigieuse d'informations dont Maspero saura tirer grand parti.

Le sarcophage et la momie de la princesse Isisemkheb (XXIᵉ dynastie, vers 1000 av. J.-C.), comme les momies de Ramsès II et de Séti Iᵉʳ, avaient été cachés par les prêtres et mis à l'abri des pillards.

La momie de Ramsès II (vers 1300-1230 av. J.-C.) se trouvait dans la cachette de Deir-el-Bahari. Deux autres trouvailles similaires ont lieu, dont l'une, encore à Deir-el-Bahari, contient les momies des grands prêtres et prêtresses d'Amon. Le lieu en est révélé par Mohammed Abder Rassoul, l'ancien voleur devenu le collaborateur des archéologues.

Si l'histoire de la découverte de la cachette des momies royales est un véritable roman policier, celle de la trouvaille de la tombe de Toutânkhamon pourrait fournir le thème d'un conte fantastique : un lord anglais victime d'un accident, un archéologue passionné, possédé d'une idée fixe ; la découverte d'un trésor fabuleux, puis, inexorable et lente, la vengeance du pharaon spolié qui élimine un à un les protagonistes du drame. La réalité diffère quelque peu de ce scénario, mais elle n'en est pas moins étonnante.

CHAPITRE 7

L'ÉGYPTE RETROUVÉE

Le masque du cercueil de Toutânkhamon est d'or massif incrusté de pierres semi-précieuses et de pâte de verre de couleur. Le jeune roi présidait les cérémonies religieuses sur ce fauteuil de bois d'ébène incrusté d'ivoire et de pierres diverses.

C'est à un triple concours de circonstances que l'on doit la découverte de la tombe de Toutânkhamon, si importante pour l'égyptologie : d'abord au XIIᵉ siècle av. J.-C., puis au XXᵉ siècle de notre ère. Vers 1140 av. J.-C., des carriers thébains creusant la grande tombe rupestre de Ramsès VI, rejettent au plus près de l'ouverture du tombeau les déblais arrachés à la montagne. Ce faisant, ils recouvrent sans le savoir une très petite tombe oubliée depuis deux siècles

Annoncée par la grande presse, le découverte de la tombe de Toutânkhamon attire un très grand nombre de touristes. Chaque jour, ils se pressent autour du puits donnant accès à la tombe pour en voir sortir les objets.

déjà. Sans les ouvriers de Ramsès VI, la tombe de Toutânkhamon eût été pillée comme toutes les autres tombes de la vallée des Rois.

C'est en 1892 que Howard Carter, jeune dessinateur, est engagé par un institut britannique pour dessiner les bas-reliefs et inscriptions du temple de Montouhotep (2060-2010 av. J.-C.), à Deir-el-Bahari. Là, il se prend de passion pour la vallée des Rois où il va rêver chaque semaine. Puis il entre au service des Antiquités en 1899 et est nommé inspecteur des Antiquités de Haute Égypte.

Il conseille alors à Théodore Davis, riche Américain, de fouiller la vallée des Rois où, il en est persuadé, il reste encore des tombes royales. C'est lui qui surveille et dirige les travaux financés par Davis ; il découvre ainsi les tombes de la reine Hatchepsout et de Thoutmosis IV, pillées toutes deux. Pendant quatre ans il explore la vallée des Rois, il la connaît dans ses moindres détails. En 1903, promu inspecteur de Basse et Moyenne Égypte, il doit s'installer près du Caire. Pour peu de temps : au cours d'une dispute entre les gardiens du Serapeum et un groupe de touristes, il prend parti pour les gardiens ; mais les touristes sont gens influents, ils se plaignent en haut lieu et le consul d'Angleterre, pour éviter un incident diplomatique, exige que Carter fasse des excuses. Carter refuse et donne sa démission ; il s'installe alors au Caire et gagne sa vie en peignant des paysages d'Égypte pour les touristes.

Curieux détour du destin : la tombe de Toutânkhamon aurait-elle été découverte si des touristes déplaisants n'étaient venus faire du scandale au Serapeum ? On peut en douter. Sans cet incident, Carter serait resté à Saqqarah et n'aurait pu conseiller au second personnage de l'aventure, lord Carnarvon, d'entreprendre des fouilles dans la vallée des Rois.

George, Edward, Stanhope, Molyneux, Herbert, cinquième comte Carnarvon représente pour nous le type du parfait lord anglais : courtois, d'excellente éducation, il est passé par Eton et le Trinity College de Cambridge. Il est fort riche, collectionneur, membre du Jockey Club. Il voyage beaucoup, mais

s'intéresse surtout à l'élevage des chevaux de course et à la chasse à courre. Il a cependant une autre passion : l'automobile. C'est là que le destin intervient une troisième fois : au cours d'un voyage en Allemagne, il a un terrible accident de voiture qui fera de lui, malgré toutes les interventions chirurgicales, un demi-invalide jusqu'à la fin de sa vie. La poitrine a été touchée

Howard Carter (1874-1939) consacre plus de dix ans à enlever, transporter des centaines d'objets trouvés dans la tombe. Il meurt avant d'avoir pu publier le rapport définitif de sa découverte.

Lord Carnarvon (1866-1923) subventionne les fouilles de Carter auxquelles il participe activement.
Le 5 avril 1923, il meurt d'une piqûre de moustique infectée, avant que la tombe ne soit complètement fouillée. Cette mort brutale donnera naissance à la légende de la malédiction de Toutânkhamon.

et, craignant les brumes britanniques, ses médecins lui conseillent de passer les hivers en Égypte. Cela en 1903, l'année même où Carter, sans emploi, végète au Caire.

Lord Carnarvon, durant ses séjours réguliers, s'attache à l'Égypte et décide d'y entreprendre des fouilles. Il sollicite une concession de fouilles. Gaston Maspero, qui dirige le service des Antiquités de l'Égypte, voit dans cette demande le moyen d'aider Carter, qu'il tient en grande estime. Il suggère à lord Carnarvon, qui n'a aucune compétence archéologique, d'engager Carter comme chef de chantier. Devenu conseiller technique et directeur des travaux de lord Carnarvon, Carter propose de fouiller à Thèbes, dans la nécropole des nobles; ils y travaillent jusqu'en 1912. À cette date, la licence de Davis pour la vallée des Rois, venue à expiration, est abandonnée. Davis, tout comme Maspero, est persuadé qu'il ne reste plus rien à découvrir dans la vallée. Carter sait néanmoins convaincre Carnarvon de reprendre la concession et les fouilles abandonnées. Pendant dix ans, de 1912 à 1922, Carter et Carnarvon explorent en vain la vallée des Rois. Découragés, ils vont arrêter leurs recherches…

Parmi les trésors, cette statuette représentant la tête du roi jeune, sortant d'une fleur de lotus, symbole de la renaissance (bois enduit de stuc et peint), une boîte à miroir en forme de signe de vie *(ânkh)*, en bois recouvert d'or et serti de cornaline et de pâte de verre colorée, et des dagues à lame d'or (à droite).

Le 4 novembre 1922, les ouvriers dégagent un escalier de pierre qui s'enfonce dans le sol : seize marches apparaissent l'une après l'autre

Taillées dans le roc, elles aboutissent à une porte murée dont le revêtement de plâtre porte les sceaux des gardiens de la nécropole et ceux d'un pharaon mal connu, Toutânkhamon. Tous sont intacts !

Carnarvon est alors en Angleterre. Carter a le courage d'arrêter les travaux; il fait recouvrir l'entrée de la tombe et expédie à Carnarvon le télégramme suivant : « Ai fait enfin une merveilleuse trouvaille dans la vallée : une tombe magnifique. Ai recouvert ladite tombe en vous attendant. Félicitations. H.C. » Le 23 novembre, Carnavon arrive. Deux jours sont nécessaires pour redégager l'escalier et la porte, puis débloquer celle-ci, qui s'ouvre sur un plan incliné obstrué jusqu'au plafond par de la pierraille. Cette descenderie mène à une porte toute semblable à la première, murée elle aussi, et revêtue des mêmes sceaux. Le 26, la descenderie est dégagée. Les mains tremblantes, Carter enlève quelques pierres de la deuxième porte et passe une bougie dans l'ouverture. L'air chaud qui s'échappe de la tombe fait d'abord vaciller la flamme, puis des formes étranges apparaissent : des animaux, des statues, partout l'or étincelle. Médusé, Carter reste silencieux. Carnarvon, angoissé, demande : « Voyez-vous quelque chose ? » Encore stupéfié, Carter ne peut que répondre : « Oui, des choses merveilleuses. »

De mémoire d'archéologue, la plus grande émotion jamais vécue ! Carter, après avoir tiré les verrous, vient d'ouvrir les portes de la quatrième et dernière chapelle de bois doré qui enferme la momie royale. Le sarcophage de pierre apparaît : il brille dans le faisceau lumineux qu'on a approché.

La tombe de Toutânkhamon, la plus petite de la vallée des Rois, est littéralement bourrée d'objets : statues, lits, chaises, fauteuils, modèles de bateaux, chars, armes, vases, coffres et coffrets divers, le tout dans un désordre indescriptible.

Étant donné les précautions à prendre pour enlever un à un tous ces objets, il faut quatre ans aux fouilleurs pour parvenir à la chambre funéraire où repose la momie du jeune roi. Le sarcophage qui la contient est enfermé dans quatre coffres-chapelles de bois doré emboîtés l'un dans l'autre et recouverts d'un dais de lin brodé d'or. La cuve de quartzite est protégée par ces chapelles.

26 novembre 1922 : Carter et Carnarvon ouvrent l'antichambre

Dans la partie centrale de la vallée des Rois, on voit le mur entourant l'entrée de la tombe de Toutânkhamon (A) et l'entrée de la tombe de Ramsès VI (B)

1 Escalier et couloir
2 Antichambre
3 Annexe
4 Chambre funéraire
5 Salle du trésor

L'antichambre était bourrée d'objets laissés par les voleurs qui s'étaient introduits dans la tombe peu après l'enterrement. Les gardiens de la nécropole avaient rebouché le tunnel creusé par les pillards, refermé et rescellé la porte mais n'avaient pas remis d'ordre. En haut : partie nord de l'antichambre. Devant la porte scellée qui ouvre sur la chambre funéraire, des statues. À gauche : des coffres, des sièges et un lit funéraire en forme de lion, des vases d'albâtre ; à droite, le reste d'un bouquet de fleurs. Au centre : un entassement de mobilier, dont le lit à tête de vache de la déesse Hathor sous lequel sont empilés des coffres à victuailles (oies, canards). En bas : partie sud de l'antichambre avec les chars royaux démontés, du mobilier, dont le lit à tête d'hippopotame de la déesse Touéris.

17 février 1923 : ils pénètrent dans la chambre funéraire

Deux statues grandeur nature de Toutânkhamon (en bois recouvert de résine noire et de feuilles d'or) encadrent la porte, encore scellée, qui mène à la chambre funéraire. Carter et un aide enveloppent l'une des statues pour la protéger pendant le transport.

Continuant son exploration, Carter s'apprête à ouvrir la porte de la seconde chapelle, qui contient le sarcophage. Deuxième document ci-contre, il roule le linceul qui recouvrait le deuxième cercueil ; sur le linceul, étaient disposées des guirlandes de fleurs.

255.h.

À l'intérieur du
troisième et dernier
cercueil, le masque
d'or du roi apparaît
à Carter. Sur le cou
et la poitrine repose
un collier de perles et
de fleurs ; sur la tête,
une écharpe de lin.

Devant l'entrée de
la salle du trésor,
le dieu-chien, Anubis,
maître de la nécropole,
est couché sur une
sorte d'autel. Il bloque
pratiquement le
passage. Une étoffe
de lin, jetée sur son
dos, est nouée autour
de son cou. Le tout est
placé sur un brancard.
Lors de l'ouverture
de la salle il y avait
encore, au pied de
cette statue, un
flambeau éteint tombé
d'un support sur lequel
était inscrite une
invocation magique.
Derrière Anubis
on aperçoit le grand
coffre-chapelle de bois
doré où était enfermé
le coffre en albâtre
des « canopes », vases
contenant les viscères
du roi enlevés lors
de l'embaumement.

Le trésor quitte la vallée des Rois

Pour la première fois, une fouille en Égypte se déroule sous les yeux du public et des journalistes massés autour de la tombe pour en voir sortir les objets. Dès que le *Times* de Londres annonce sa découverte, Carter reçoit d'innombrables lettres : des offres d'aide, des demandes de souvenirs (« ne seraient-ce que quelques grains de sable de la tombe ») ; des cinéastes qui souhaitent filmer ; des couturiers qui sollicitent le droit de copier les costumes ; et aussi... des insultes pour avoir profané une sépulture !

Avec l'aide d'un ouvrier, Carter sort de la tombe de lit funéraire à l'image de la déesse Thouéris. Hippopotame femelle, symbole de fécondité, elle assiste les naissances, mais c'est aussi et surtout une divinité protectrice. Ce lit de bois doré, fort lourd, mesure plus de deux mètres de long. Ce n'est qu'en 1928 que les fouilles et le travail dans la tombe seront terminés.

Trois sarcophages, en forme de momie y sont emboîtés comme des poupées russes : les deux premiers sont de bois doré orné d'incrustations, le dernier en or massif (1 110 kg). La momie y est couchée, la tête et le haut du buste couverts par un masque d'or massif incrusté de pierres et de pâte de verre colorée.

À Tanis, dans le Delta, d'autres tombes royales inviolées sont découvertes en 1939 par Pierre Montet

Bien qu'extraordinaire, la découverte d'une tombe royale inviolée, comme celle de Toutânkhamon, n'est pas unique dans l'histoire de l'égyptologie. En 1939, l'archéologue français Pierre Montet dégage des habitations tardives à Tanis, dans le Delta oriental, lorsqu'il remarque l'ouverture d'un puits. Vidé, celui-ci révèle tout au fond un dallage de pierre qui n'est autre que… le toit d'un tombeau construit en pierre de taille ! Le puits avait été creusé par des pillards pour parvenir à la tombe. En fait, ce tombeau fait partie d'un groupe de sépultures où ont été enterrés les pharaons des XXIe et XXIIe dynasties dont la capitale était Tanis.

Pierre Montet (1885-1966) tient le grand support d'argent et son assiette trouvés dans la chambre funéraire de Psousennès. Ci-dessous les fouilles de Tanis appelée aujourd'hui Sân-el-Haggar.

La première tombe découverte, celle du roi Osorkon II, a été pillée, mais il n'en va pas de même pour celle du roi Psousennès qui est intacte, et près de laquelle se trouvent les sépultures, inviolées également, de quatre autres grands personnages. Le mobilier funéraire de Tanis comporte des cercueils d'argent, des masques d'or, des bijoux et des vases d'or, d'argent, de bronze, d'albâtre; moins abondant que celui de Toutânkhamon, il est d'une remarquable qualité artistique.

Ainsi, de 1881, date de la mort de Mariette, à nos jours, des savants comme Brugsch, Maspero, Montet parmi d'autres redécouvrent peu à peu l'Égypte pharaonique

À côté de trouvailles exceptionnelles comme la cachette des momies royales, la tombe de Toutânkhamon ou celle de Psousennès, chaque année apporte son lot de découvertes. Des sites de plus en plus nombreux, en Égypte comme en Nubie, sont méthodiquement explorés. Les philologues, les épigraphistes, les historiens peuvent se pencher sur les documents mis au jour. D'amples recueils de textes, suivis de grammaires et de dictionnaires paraissent, et l'histoire de l'Égypte ancienne se dévoile peu à peu. L'égyptologie a dépassé le stade de l'enfance, elle entre dans sa maturité.

Pour un fouilleur comme Mariette, Maspero, Carter et Montet, la découverte marque le début d'un long et épuisant travail, surtout lorsqu'il s'agit de trouvailles importantes comme celles du Serapeum, de la cachette de Deir-el-Bahari, de la tombe de Toutânkhamon ou de la nécropole royale de Tanis. Après avoir relevé l'emplacement et le niveau des objets, il faut les enlever avec précaution, les transférer au magasin-laboratoire, les nettoyer, les décrire, les dessiner, les analyser, les ficher, les consolider voire les restaurer. Rien d'étonnant, donc, s'il fallut plus de dix ans à Carter aidé de nombreux experts pour nettoyer la tombe de Toutânkhamon, empaqueter et transférer au musée du Caire tous les objets qu'elle contenait. Mariette, qui travaillait seul, ne put jamais finir le catalogue des milliers d'objets découverts au Serapeum.

TÉMOIGNAGES
ET DOCUMENTS

130
« La Description de l'Égypte »

132
Le voyage en Orient

136
Le Serapeum de Memphis

140
Le sauvetage d'Abou Simbel

142
La résurrection de Karnak

146
L'archéologie égyptienne aujourd'hui

152
Bibliographie

154
Annexes

« La Description de l'Égypte »

Par ordre de Napoléon, l'Imprimerie impériale entreprend la publication de la Description de l'Égypte. *Deux cents artistes participent à l'illustration. Relevés de monuments, zoologie, botanique, vues pittoresques, présentation des métiers et des objets usuels : la* Description *fait découvrir l'Égypte dans sa diversité.*

Une fantastique aventure éditoriale

De ce projet, lancé par Bonaparte et auquel Kléber donna la forme d'une publication collective, naquit après bien des péripéties, le plus monumental ouvrage jamais édité, *La Description de l'Égypte*. Elle se compose de dix tomes in-folio et deux recueils contenant 837 planches gravées sur cuivre, soit au total plus de 3000 illustrations, dont certaines mesurent plus d'un mètre de long. Alors que les cinq premiers tomes sont consacrés aux antiquités, les deux suivants décrivent les activités et la vie du pays depuis la conquête arabe du VIIe siècle jusqu'à l'occupation française; les trois derniers illustrent l'histoire naturelle. Devant la complexité de la réalisation et les retards des auteurs, il fallut se résigner à une publication en livraisons échelonnées. Napoléon attachait un grand prix à l'ouvrage : dans sa préface historique, véritable apologie de l'Empereur, Fourier n'écrivait-il pas que la *Description* rappelle que l'Égypte fut le théâtre de sa gloire ? Le premier tome, consacré aux antiquités, planches et mémoires, parut en 1809. Seule la moitié de l'ensemble fut publié avant la chute de Napoléon. Il fallut attendre 1828 pour que les souscripteurs puissent posséder l'ouvrage entier, tiré à 1000 exemplaires. Déjà, une nouvelle édition, dite Panckoucke, était en préparation, témoignant de la faveur extrême dont jouissait *La Description*, premier ouvrage scientifique révélant au public les monuments de l'antique Égypte.

Christiane Ziegler
in *Egyptomania*
RMN, 199

Deux volumes de planches et trois volumes de textes rendent compte de l'état du pays à la fin du XVIIIe siècle, preuve que les membres de l'expédition d'Égypte avaient la curiosité de comprendre le mode de vie des habitants. Ci-contre, des scènes de la vie des artisans : un arçonneur de coton, un fileur et une dévideuse de laine, un faiseur de natte et un faiseur de couffes. Toutes ces activités traditionnelles n'ont pas disparu aujourd'hui, et cette permanence donne plus de charme encore à ces témoignages. Trois volumes de planches et deux volumes de textes décrivent l'histoire naturelle de l'Égypte : animaux, comme l'aigle de Thèbes (page de gauche plantes, etc...

Le voyage en Orient

Artistes et écrivains rêvent tous d'un ailleurs : Italie pour les uns, Orient pour les autres. Le voyage en Orient est une constante dans l'œuvre de certains auteurs du XIXᵉ siècle. Récit d'un itinéraire pour Chateaubriand, correspondance pour Flaubert, souvenirs littéraires pour Maxime du Camp ou journal pour Eugène Fromentin, la passion de l'exotisme égyptien a pris toutes les formes littéraires.

Le 20, à huit heures du matin, la chaloupe de la saïque me porta à terre, et je me fis conduire chez M. Drovetti, consul de France à Alexandrie. Jusqu'à présent j'ai parlé de nos consuls dans le Levant avec la reconnaissance que je leur dois; ici j'irai plus loin, et je dirai que j'ai contracté avec M. Drovetti une liaison qui est devenue une véritable amitié. M. Drovetti, militaire distingué et né dans la belle Italie, me reçut avec cette simplicité qui caractérise le soldat, et cette chaleur qui tient à l'influence d'un heureux soleil. Je ne sais si, dans le désert où il habite, cet écrit lui tombera entre les mains; je le désire, afin qu'il apprenne que le temps n'affaiblit point chez moi les sentiments; que je n'ai point oublié l'attendrissement qu'il me montra lorsqu'il me dit adieu au rivage : attendrissement bien noble, quand on en essuie comme lui les marques avec une main mutilée au service de son pays! Je n'ai ni crédit, ni protection, ni fortune; mais si j'en avais, je ne les emploierais pour personne avec plus de plaisir que pour M. Drovetti […]

Je passai cinq autres jours au Caire, dans l'espoir de visiter les sépulcres des Pharaons; mais cela fut impossible. Par une singulière fatalité, l'eau du Nil n'était pas encore assez retirée pour aller à cheval aux Pyramides, ni assez haute pour s'en approcher en bateau. Nous envoyâmes sonder les gués et examiner la campagne : tous les Arabes s'accordèrent à dire qu'il fallait attendre encore trois semaines ou un mois avant de tenter le voyage. Un pareil délai m'aurait exposé à passer l'hiver en Égypte (car les vents de l'ouest allaient commencer); or cela ne convenait ni à mes affaires ni à ma fortune. Je ne m'étais déjà que trop arrêté sur ma route, et je m'exposai à ne jamais revoir la France, pour avoir voulu remonter au Caire. Il fallut donc me résoudre à ma destinée, retourner à Alexandrie, et me contenter d'avoir vu de mes yeux les Pyramides, sans les avoir touchées de mes mains. Je chargeai M. Caffe d'écrire mon nom sur ces grands tombeaux, selon l'usage, à la première occasion : l'on doit remplir tous les petits devoirs d'un pieux voyageur. N'aime-t-on pas à lire, sur les débris de la statue de Memnon, le nom des Romains qui l'ont entendue soupirer au lever de l'aurore? Ces Romains furent comme nous *étrangers dans la terre d'Égypte*, et nous passerons comme eux.

Chateaubriand
Itinéraire de Paris à Jérusalem

Ipsamboul : les colosses

*Le 29 octobre 1849, Gustave Flaubert
et son ami Maxime Du Camp quittent Paris
pour près de 18 mois. Entre février et juin
1850, au fil du Nil, ils s'arrêtent dans
différents sites, que Flaubert décrit dans ses
lettres tout en prenant des notes pour ce qui
deviendra les* Voyages, *tandis que Maxime
Du Camp compose son album de photos.*

Effet du soleil vu par la porte du grand
temple à demi comblé par le sable :
c'est comme par un soupirail.

Au fond, trois colosses entrevus dans
l'ombre. Couché par terre, à cause du
clignement de mes paupières, le premier
colosse de droite m'a semblé remuer les
paupières. Belles têtes, vilains pieds.

Les chauves-souris font entendre leur
petit cri aigu. Pendant un moment, une
autre bête criait régulièrement, et cela

Maxime Du Camp rapporte de nombreuses
photographies d'Égypte (ci-dessus Abou
Simbel ensablé).

faisait comme le battant lointain d'une
horloge de campagne. J'ai pensé aux
fermes normandes, en été, quand tout le
monde est aux champs, vers trois heures
de l'après-midi… et au roi Mycérinus se
promenant un soir, en char, faisant le
tour du lac Mœris, avec un prêtre assis
à côté de lui; il lui parle de son amour
pour sa fille. C'est un soir de moisson…
les buffles rentrent…

Essais d'estampage.

Petit temple : sur les piliers, figures
semblables à des perruques fichées
sur des champignons de bois.

Que signifie, dans le grand temple,
un bloc de maçonnerie, couvert
d'inscriptions démotiques, entre le
troisième et le quatrième colosse à
gauche en entrant?

Dans le grand temple, nef de gauche,
belles représentations de chariots; les
ornements de tête des chevaux sont
compliqués et les chevaux généralement
longs et ensellés.

Le Jeudi Saint, nous commençons les
travaux de déblaiement pour pouvoir
dégager le menton d'un colosse
extérieur! […]

Flaubert, *Voyage en Orient*

*Eugène Fromentin, peintre et écrivain,
participe à une croisière sur le Nil lors
de l'inauguration du canal de Suez.*

30 octobre 1869, samedi
Journée de grande fatigue et de malaise.
Je reste à bord. Le soir, à la tombée
du jour, je cours à Karnak. J'y vois le
coucher le soleil et la nuit venir sur le
grand temple de Séti, et sur cette vaste
campagne incomparable. Plaine
onduleuse, encore mouillée, chaussée
sinueuse, à travers des marécages et
des limons, où les buffles enfoncent
jusqu'aux genoux. Petits villages.
Cultures en grand désordre où fourragent

Éperviers sifflant. Belle colonne à chapiteau de lotus, seule intacte. Retour à la nuit, plus chaud peut-être. On ne voit plus rien que la rougeur persistante du ciel. Silhouettes de dattiers. Étangs qui miroitent.

Rentrée par le quartier des almées, fantômes blancs errant dans l'obscurité. Bouges sans nom. Poussière épaisse. Nul bruit ne s'entend quand on y marche.

Fromentin, *Voyage en Égypte*

Un officier de marine à Philae

En janvier 1907, Pierre Loti, invité par le khédive, entame une lente remontée du Nil. Il est bouleversé par les sites, mais plein d'aversion pour ceux qu'il nomme les «Cookies» et les «Cookesses», les touristes de l'agence Cook.

des animaux. Bouquets de palmiers. Lignes espacées, clairs rideaux de tamaris. Au-delà dans le sud est la chaîne libyque, fuyante, azurée, exquise. Des souffles chauds viennent du nord-est; ils errent plutôt qu'ils ne soufflent; on dirait une respiration inégale plutôt que du vent.

Arrivée à Karnak par la grande avenue de sphinx mutilés et le pylône de l'ouest. Admirable entrée. À droite, on aperçoit un pylône intact du côté nord, écroulé du côté sud. Le grand temple. Spectacle extraordinaire. Dimensions énormes. Il faut une échelle pour les mesurer. Rien de plus gigantesque et de plus solennel. Tout autour, un écroulement général, un immense amas de décombres dont chaque parcelle est un bloc monstrueux. Trous pleins d'eau encore, où baignent des tronçons de colonnes. Quatre obélisques dont deux seuls debout. Admirable, celui d'Hatasou, le plus grand obélisque égyptien. Le temple à la nuit; magnifique allée principale, aboutissant à la porte du nord.

L'obélisque, encore rose au bout, est juste dans l'axe de cette nef sans pareille. Nous y sommes presque seuls. On s'appelle encore et l'on se rallie dans ce chaos, que la nuit rend inextricable.

L'embarcadère pour Philae. Quantité de barques sont là prêtes, car les touristes, alléchés par maintes réclames, affluent maintenant chaque hiver en dociles troupeaux. [...]

Nous sommes dans un décor tragique, sur un lac environné d'une sorte d'amphithéâtre terrible que dessinent de tous côtés les montagnes du désert.

C'était au fond de cet immense site de granit que le Nil serpentait jadis, formant des îlots frais, où l'éternelle verdure des palmiers contrastait avec ces hautes désolations érigées alentour comme une muraille. Aujourd'hui, à cause du barrage établi par les Anglais, l'eau a monté, monté, ainsi qu'une marée qui ne redescendrait plus; ce lac, presque une petite mer, remplace les méandres du fleuve et achève d'engloutir les îlots sacrés. Le sanctuaire d'Isis – qui trônait là depuis des millénaires au sommet d'une colline chargée de temples, de colonnades et de statues – émerge encore à demi, seul et bientôt noyé lui-même; c'est lui qui apparaît là-bas, pareil à un grand écueil, à cette heure où la nuit commence de confondre toutes choses.

Avant d'aborder au sanctuaire d'Isis, nous touchons à ce kiosque de Philae, célèbre à l'égal du sphinx et des pyramides. Il s'élevait jadis sur un piédestal de hauts rochers, et les dattiers balançaient alentour leurs bouquets de palmes aériennes. Aujourd'hui, il n'a plus de base, ses colonnes surgissent isolément, de cette sorte de lac suspendu et on le dirait construit dans l'eau à l'intention de quelque royale naumachie. Nous y entrons avec notre barque – et c'est un port bien étrange, dans sa somptuosité antique; un port d'une mélancolie sans nom, surtout à cette heure jaune du crépuscule extrême, et sous ces rafales glacées que nous envoient sans merci les proches déserts. Mais combien il est adorable ainsi, le kiosque de Philae, dans ce désarroi précurseur de son éboulement ! Ses colonnes, comme posées sur de l'instable, en deviennent plus sveltes, semblent porter plus haut encore leurs chapiteaux en feuillage de pierre : tout à fait kiosque de rêve maintenant, et que l'on sent si près de disparaître à jamais sous ces eaux qui ne baissent plus…

Au sortir du kiosque, notre barque, sur cette eau profonde et envahissante, parmi les palmiers noyés, fait un détour, afin de nous conduire au temple par le chemin que prenaient à pied les pèlerins du vieux temps, par la voie naguère encore magnifique, bordée de colonnades et de statues. Entièrement engloutie aujourd'hui, cette voie-là, que l'on ne reverra jamais plus […].

Le temple. Nous sommes arrivés. Au-dessus de nos têtes, se dressent les énormes pylônes, ornés de personnages en bas-relief : une Isis géante, qui tend le bras comme pour nous faire signe, et d'autres divinités au geste de mystère. La porte, qui s'ouvre dans l'épaisseur de ces murailles, est basse, d'ailleurs à demi-noyée, et donne déjà sur des profondeurs déjà très en pénombre. Nous entrons à l'aviron dans le sanctuaire.

Halte et silence; il fait sombre, il fait froid; tout à coup le bruit d'une chute pesante, suivie de remous sans fin: quelque grande pierre sculptée qui vient de plonger à son heure, pour rejoindre, dans le chaos noir d'en dessous, celles déjà disparues, et les temples déjà engloutis, et les vieilles églises coptes, et la ville des premiers siècles chrétiens, – tout ce qui fut jadis l'île de Philae, la «perle de l'Égypte», l'une des merveilles du monde.

Pierre Loti, *La Mort de Philae*

Le Serapeum de Memphis

Dans un texte de Strabon, Auguste Mariette trouve un jour une allusion à une avenue de sphinx menant à la tombe des taureaux Apis, à Memphis. Il décide de fouiller. En novembre 1851, après avoir effectivement localisé le site et fait dégager toute l'avenue, il arrive à une tombe scellée : le Serapeum.

Visite à Memphis en 30 av. J.-C.

Memphis possède plusieurs temples, dont un consacré à Apis, c'est-à-dire à Osiris. Là, dans un enclos particulier est nourri le taureau Apis, considéré comme une personne divine. Le taureau Apis n'a de blanc que le front et quelques autres petites taches, ailleurs il est tout noir; ce sont là les signes qui, à la mort du titulaire, guident toujours le choix du successeur. Son enclos est précédé d'une cour contenant un autre enclos qui sert à loger sa mère. À une certaine heure du jour, on lâche Apis dans cette cour, surtout pour le montrer aux étrangers, car, bien qu'on puisse l'apercevoir par une fenêtre dans son enclos, les étrangers tiennent beaucoup à le voir aussi dehors en liberté; mais après l'avoir laissé s'ébattre et sauter quelque temps dans la cour, on le fait rentrer dans sa maison. […] Devant le temple d'Apis, dans l'avenue qui y mène, se dresse un colosse monolithe.

Strabon, XVIII-31

Du haut de la citadelle au Caire, Mariette décide de fouiller

Le calme était extraordinaire. Devant moi s'étendait la ville. Un brouillard épais et lourd semblait être tombé sur elle, noyant toutes les maisons jusque par-dessus les toits.

De cette mer profonde émergeaient trois cents minarets comme les mâts de quelque flotte submergée. Bien loin dans le sud, on apercevait les bois de dattiers qui plongent leurs racines dans les murs écroulés de Memphis. À l'ouest, noyées dans la poussière d'or et de feu du soleil couchant, se dressaient les pyramides.

Le spectacle était grandiose, il me saisissait, il m'absorbait avec une violence presque douloureuse. On excusera ces détails peut-être trop personnels; si j'y insiste, c'est que le moment fut décisif. J'avais sous les yeux Giseh, Abousir, Saqqarah, Dahchour, Myt-Rahyneh. Ce rêve de toute ma vie prenait un corps. Il y avait là, presque à la portée de ma main, tout un monde de tombeaux, de stèles, d'inscriptions, de statues. Que dire de plus?

Le lendemain, j'avais loué deux ou trois mules pour les bagages, un ou deux ânes pour moi-même; j'avais acheté une tente, quelques caisses de provisions, tous les *impedimenta* d'un voyage au désert, et, le 20 octobre 1850 dans la journée, j'étais campé au pied de la grande pyramide.

Dans une publication destinée au grand public, Mariette rend compte de l'évolution des travaux.

La vue 1 est prise pendant les travaux. La dureté excessive du sable amoncelé pendant des siècles a seule permis d'ouvrir des tranchées dont les parois étaient presque verticales. Les opérations ne se sont pourtant pas toujours accomplies sans difficulté, et quelquefois le sable se détachant par masses et se précipitant au fond des trous a occasionné des accidents. On aura une idée des irrésistibles lenteurs que l'inexpérience des ouvriers, l'absence d'outils, et la nature du sable opposaient à nos travaux, quand on saura que, dans cette partie de la tranchée ouverte à travers l'allée des sphinx, nous n'avancions pas d'un mètre par semaine.

La vue 2 est prise du pylône principal du Serapeum égyptien, en regardant l'est. Tout ce qu'on aperçoit ici était, avant le commencement des fouilles,

totalement plongé dans le sable, qui formait en cet endroit une grande plaine toute nue. Les deux escarpements à droite et à gauche du dessin montrent la hauteur primitive de la couche de sable entassée par-dessus les constructions. À droite, un mur d'appui, encore inconnu à l'époque où le dessin a été exécuté, soutenait toute cette singulière série d'animaux symboliques dont je donne ci-après deux spécimens.

C'est à l'extrémité orientale du mur d'appui que se trouvait l'hémicycle sur lequel étaient rangées les statues de onze poètes et philosophes grecs. On remarquera, du reste, qu'un temple de Serapis pouvait seul montrer une chapelle du style purement grec à côté d'une chapelle du style purement égyptien. Le taureau qu'on tire du *naos* est la belle statue d'Apis, aujourd'hui conservée au Louvre. En avant des deux chapelles, le dessin montre les traces d'un dallage formé de longues pierres plates assez soigneusement appareillées. Au mois de mai 1851, en levant l'une de ces pierres, nous nous aperçûmes que tout le sable sur lequel le dallage est posé était rempli de statuettes de bronze représentant toutes les divinités du panthéon égyptien. En une seule journée, nous en recueillîmes cinq cent trente-quatre. Le même fait a été observé dans les autres parties du temple. Comme, dans les idées égyptiennes, le sable était réputé impur, il est à croire que les Égyptiens le purifiaient en y mêlant des images de leurs dieux.

La planche 3 représente la galerie principale de la tombe d'Apis. Cette tombe, creusée tout entière dans le roc vif, est en effet formée de plusieurs galeries qui se coupent. La plupart d'entre elles offrent, à droite et à gauche, des chambres latérales dans lesquelles étaient déposées les momies divines. La recherche de la tombe d'Apis a été, presque dès le début des fouilles, l'objet constant de nos préoccupations. Les bouleversements qu'avait subis le Serapeum et dont j'avais facilement reconnu les traces, ne laissaient que peu de chose à espérer du temple proprement dit; la tombe d'Apis, au contraire, creusée dans le rocher, devait s'être mieux conservée dans son état primitif. Mes espérances n'ont pas été trompées. La tombe d'Apis est tout un édifice souterrain, et quand, le 12 novembre 1851, j'y pénétrai pour la première fois, j'avoue que je fus saisi d'une impression d'étonnement qui, depuis cinq ans, ne s'est pas encore tout à fait effacée de mon esprit. Par un hasard que j'ai peine à m'expliquer, une chambre

de la tombe d'Apis, murée en l'an 30 de Ramsès II, avait échappé aux spoliateurs du monument, et j'ai eu le bonheur de la retrouver intacte. Trois mille sept cents ans n'avaient pas changé sa physionomie primitive. Les doigts de l'Égyptien qui avait fermé la dernière pierre du mur bâti en travers de la porte étaient encore marqués sur le ciment. Des pieds nus avait laissé leur empreinte sur la couche de sable déposée dans un coin de la chambre mortuaire. Rien ne manquait à ce dernier asile de la mort où reposait, depuis près de quarante siècles, un bœuf embaumé. Il est plus d'un voyageur qui, sans doute, s'effraierait à l'idée de vivre seul dans un désert, pendant quatre années. Mais des découvertes comme celle de la chambre de Ramsès II laissent des émotions devant lesquelles tout s'efface et que l'on désire toujours renouveler. Du reste, la sépulture était digne du prince qui en avait ordonné l'arrangement, et quand on voit au Louvre les magnifiques bijoux, les statuettes et les vases que nous y avons recueillis, on s'explique très bien comment, plus tard, à une époque où le culte de Sérapis jetait tout son éclat, on ait pu, au dire de Diodore, dépenser pour les seules funérailles d'un Apis une somme de 500 000 francs.

La planche 4 donne la vue de l'une des chambres latérales de la tombe d'Apis. Au centre s'élève un de ces énormes sarcophages qu'on retrouve dans toutes les parties de la

tombe, depuis le règne d'Amasis. Tous sont de granit poli et luisant; ils ont de douze à treize pieds de hauteur, de quinze à dix-huit pieds de longueur, et le plus petit d'entre eux ne pèse pas moins de soixante-cinq mille kilogrammes. Les chambres elles-mêmes sont au nombre de soixante-quatre. Les pierres amoncelées en forme de mur sur le couvercle de ce monument sont, je crois, du temps de la spoliation de la tombe. Selon un usage encore aujourd'hui en vigueur dans quelques parties de l'Orient, elles y ont été placées en signe de mépris, après que le cadavre conservé dans l'intérieur du monolithe eut été profané et mis en pièces.

Auguste Mariette,
*Le Serapeum de
Memphis*

Le sauvetage d'Abou Simbel

En 1956, l'Égypte prenait la décision de construire un nouveau barrage à Assouan, ce qui constituait une menace de destruction totale de tous les sites et monuments situés sur les rives du Nil nubien. Devant la gravité du danger, l'Unesco lançait, le 8 mars 1960, une campagne internationale pour le sauvetage des sites et monuments de la Nubie.

Au cours des huit années prévues avant la mise en eau du barrage, quarante missions archéologiques explorèrent la zone menacée et plus de vingt monuments furent sauvés, de sorte que l'archéologie de cette région nubienne est maintenant la mieux connue de toute la vallée du Nil. Les travaux les plus spectaculaires de la campagne furent certainement le découpage des deux temples rupestres de Ramsès II à Abou Simbel, suivi de la reconstruction du site et des sanctuaires sur le plateau qui domine les eaux du nouveau lac.

« On peut démonter un temple, on ne démonte pas une montagne »

Les temples d'Abou Simbel étaient creusés dans la falaise de grès; les quatre colosses du grand temple se dressaient d'une seule pièce, taillés dans le massif rocheux; les salles et chapelles intérieures de ce sanctuaire s'enfonçaient sur plus de 60 m au cœur de la montagne. Bien que plus petit, le temple de la Reine possédait six colosses engagés dans le rocher et mesurant 10 m de haut, hauteur d'un immeuble moderne de trois étages ! Ceux du grand temple ont, pour leur part, 20 m de haut, leur tête mesure près de 4,20 m d'une oreille à l'autre. Comment sauver ces monuments, d'une telle élégance malgré leurs dimensions prodigieuses ?

Trois projets furent étudiés.

Le premier prévoyait la construction d'un barrage en arc de cercle qui laissait les temples en place, mais à l'intérieur d'une immense cuvette de quelque 100 m de profondeur. Ce contre-barrage aurait coûté à lui seul aussi cher que le nouveau barrage d'Assouan. Dans le deuxième projet, les deux temples devaient être enfermés dans des caissons de ciment, puis la montagne était découpée autour et au-dessous du gigantesque bloc ainsi constitué qui était enfin soulevé par des vérins et, tel un cake monstrueux,

transporté à sa place définitive sur le plateau. Un peu moins onéreux, ce fut le troisième projet qui fut adopté. Il proposait de détacher de la montagne en les découpant toutes les parties sculptées ou décorées des temples. Les fragments ne dépasseraient pas 20 tonnes et seraient transportés au moyen de grues et camions jusqu'à l'emplacement choisi pour reconstituer les temples. On créerait ensuite alentour un paysage aussi semblable que possible à l'environnement ancien. Les temples d'Abou Simbel remontés comme des puzzles démesurés, se dressent maintenant à 200 m environ du site primitif, et un aéroport construit à proximité, complété d'un hôtel de luxe, permet de les visiter beaucoup plus facilement qu'auparavant.

Jean Vercoutter

La résurrection de Karnak

L'immense citadelle du dieu Amon était tombée dans l'oubli, gardant pour elle ses secrets. Depuis quatre cents ans, elle les redévoile peu à peu. Les archéologues reconstituent ce qui fut le grand temple, remettent au jour les structures d'origine. Entre autres missions, le Centre franco-égyptien, créé en 1967, poursuit les recherches inaugurées par François Auguste Mariette au XIXe siècle.

Savants et curieux des XIIe et XVIIIe siècles

À partir de cette époque, plusieurs voyageurs tentent d'atteindre Karnak. Mais la distance est grande entre Le Caire et Louqsor, et le voyage est dangereux pour les étrangers. En 1673 Vansleb, un dominicain allemand au service de Louis XIV, passe outre aux ordres de Colbert qui l'avait chargé de collecter des manuscrits anciens pour la bibliothèque de Sa Majesté et quitte Le Caire pour essayer de gagner Louqsor. La population le prenant pour un dangereux magicien, Vansleb doit rebrousser chemin devant l'hostilité générale. D'autres seront plus heureux. Ainsi, en 1699 et en 1717, Paul Lucas, aventurier français à la fois corsaire, don Juan, commerçant, orfèvre, médecin et à l'occasion explorateur, réussit à atteindre Louqsor. Mais sa description de Karnak est tellement confuse qu'il est permis de douter de la réalité de sa visite [...]

Il faut attendre l'année 1722 pour trouver un personnage, certes moins pittoresque que «Monsieur Paul», mais capable d'étudier et d'identifier les ruines de Haute Égypte. Le savant jésuite Claude Sicard connaît à fond le pays et sa langue. C'est à lui que revient l'honneur d'avoir reconnu dans les ruines de Louqsor les restes de l'ancienne Thèbes.

Au cours du XVIIIe siècle, les voyageurs vont se multiplier. Mais les voyages les plus remarquables de cette époque sont ceux de l'ingénieur naval danois F. Norden et du révérend anglican R. Pococke. Nous leur devons les premiers plans et dessins de Karnak. Jusqu'à la fin du siècle, plusieurs voyageurs visiteront Thèbes. L'Europe se passionne pour l'Orient. En 1759, un médecin italien, le docteur Donati, fouille à Karnak pour le compte de princes italiens.

Mais la première campagne d'études et de relevés digne de ce nom est à mettre au compte des savants qui accompagnent Bonaparte en Égypte. En 1799 Jollois et Devilliers, deux jeunes ingénieurs, consacrent une grande partie de leur temps à l'étude de Karnak. Pour eux et leurs compagnons, Karnak était un immense palais où résidait un souverain puissant et sage. Les magnifiques planches de la Description de l'Égypte révèlent au public européen la véritable grandeur de Karnak. Encore aujourd'hui, ces gravures vieilles de près de deux siècles sont utilisées par les chercheurs.

Karnak au XIXe siècle

L'histoire de Karnak au cours du XIXe siècle peut se subdiviser en trois volets. Jusqu'en 1828, profitant de la relative sécurité qui règne dans le pays depuis l'accession au pouvoir de Méhémet Ali, « antiquaires » et trafiquants mettent le site au pillage. Les consuls d'Angleterre (Henry Salt) et de France (Bernardino Drovetti) se livrent une lutte féroce pour la possession d'un terrain de fouille aussi prometteur. Un Italien de Padoue, le célèbre Belzoni, se met au service de Salt. Ses fouilles font des jaloux et l'affaire se règle à coups de fusil !

En 1828, J.-F. Champollion visite Karnak. Copiant sans relâche les textes qui couvrent les parois de la demeure d'Amon, il réussit à faire parler les ruines. Oubliés depuis vingt siècles, les noms des constructeurs de Karnak retrouvent leur place dans l'histoire. De 1828 à 1858, le pillage ne cesse pas mais aux voyageurs « intéressés » se mêlent les premiers égyptologues. Des missions scientifiques étudient les temples. La plus célèbre est celle de l'Allemand Richard Lepsius (1843). La même année, le Français Prisse d'Avennes, un étonnant personnage, à la fois artiste, archéologue et aventurier, soucieux de « l'intérêt de la France », démonte la chapelle des Ancêtres de Karnak pour la transporter à Paris. Artistes daguerréotypistes et, depuis 1850, photographes font le pèlerinage de Haute Égypte et en rapportent de précieux documents. Mais la situation reste catastrophique. En 1840, les pylônes de l'allée sud servent encore de carrière.

Enfin, en 1858, un Français, Auguste

Mariette, réussit à endiguer la débâcle. Ayant acquis la confiance du vice-roi Saïd, il est nommé directeur du service des Antiquités créé pour lui. La même année, il ouvre une série de fouilles de grande envergure au cœur du temple d'Amon. Dorénavant, les fouilles seront réglementées. Les campagnes se succèdent (1860 grande cour, salle hypostyle, zone centrale ; 1874 temple de Khonsou). Mais cela ne suffit pas. Mariette est avant tout à la recherche de documents historiques. Il faut aussi consolider et restaurer. Déjà en 1861 une colonne de la salle hypostyle récemment dégagée s'est écroulée. En 1865 c'est une porte située entre le IVe et le Ve pylône qui s'effondre. La tâche est énorme.

En 1895, De Morgan, un des successeurs de Mariette crée un organisme spécialement chargé du site : la Direction des travaux de Karnak. Il en confie la responsabilité à un jeune égyptologue français, Georges Legrain.

Georges Legrain

Courageusement Legrain entreprend le dégagement systématique du temple d'Amon, de l'ouest vers l'est. Les monuments sont restaurés et consolidés au fur et à mesure qu'ils sortent de terre. Legrain étudie le mouvement des eaux souterraines. Mais le 3 octobre 1899, c'est la catastrophe ! Onze colonnes de la salle hypostyle s'effondrent. Cependant Legrain ne perd pas courage. Il consacre près de dix années de son énergie à réparer les dégâts et consolider les fondations de la salle hypostyle. Avec des moyens très réduits et des procédés que n'auraient pas reniés ses lointains prédécesseurs, tel l'usage d'énormes remblais de terre, il parvient à remonter les colonnes effondrées de la salle hypostyle. 1903 est une date faste dans les annales de Karnak. Legrain découvre enterrées dans la cour du VIIe pylône des centaines de statues de prêtres et de fonctionnaires de Karnak de toutes époques. Elles avaient été déposées là au début de l'époque ptolémaïque car elles encombraient les salles et cours du temple. Jusqu'en 1917, date de sa mort prématurée, Legrain, tour à tour chef de chantier, dessinateur, épigraphiste, égyptologue, technicien, architecte et même ethnologue, poursuit sa tâche.

Claude Traunecker
et Jean-Claude Golvin,
Histoire et Archéologie, 1986

Les travaux de Karnak

Les recherches actuelles à Karnak poursuivent celles des archéologues français tel Auguste Mariette qui y entreprit de véritables fouilles dès 1858. De 1895 à sa mort en 1917, Georges Legrain dégagea l'entrée du temple et la salle hypostyle. Il exhuma du sous-sol d'une cour des milliers de statues en pierre, en bois et en cuivre qui y avait été cachés : elles ornent actuellement le musée du Caire. Maurice Pillet lui succéda jusqu'en 1923 puis Henri Chevrier travailla activement jusqu'en 1954 à la fouille du troisième pylône. Ensuite, l'équipe égyptienne continua les travaux jusqu'à la création en 1967 d'un centre franco-égyptien CFEETK. Le conseil supérieur des Antiquités de l'Égypte met à la disposition du centre une équipe d'égyptologues, d'architectes, de restaurateurs et d'ouvriers, ainsi que des équipements et des locaux. Le CNRS met à la disposition de sa seule mission archéologique permanente à l'étranger, deux architectes, un égyptologue, un documentaliste, un conducteur de travaux, un restaurateur,

un photographe et un administrateur. Le ministère français des Affaires Étrangères envoie chaque année à Karnak trois volontaires internationaux (restaurateur, tailleur de pierre, archéologue) et six boursiers (documentaliste, photographe, dessinateur, restaurateur, archéologue, architecte).

Un tiers des membres français travaillent à la documentation des milliers de blocs rangés dans les dépôts lapidaires ainsi qu'aux relevés architecturaux et aux fac-similés des décors. Un autre tiers est en charge de nouvelles recherches archéologiques pour expliquer la chronologie des édifices depuis Sésostris Ier (1946 av.-J.C.) jusqu'à Akhenaton ainsi que leurs remaniements successifs. De nombreux vestiges datés du Moyen Empire sont apparus, ce qui a généré une nouvelle hypothèse sur l'orientation du temple de Sésostris Ier. Les archéologues font également des recherches à l'Est du lac Sacré et, au Nord du temple, dans la zone osirienne. Le dernier tiers s'occupe des travaux de mise en valeur et de restauration de monuments, comme le temple d'Opet et « l'arche fortuite » dans la zone centrale. Dans le musée en plein air, six édifices jusqu'ici inconnus ont été reconstruits. Leur histoire est liée aux remaniements apportés à l'entrée du temple par Amenhotep III, huitième souverain de la XVIIIe dynastie, qui régna de 1417 à 1350 av.-J.C. Leur étude permet de proposer la reconstitution de l'entrée du temple avant les transformations de ce roi.

Pour réaliser son projet d'une nouvelle porte monumentale (IIIe pylône), Amenhotep III a dû faire démonter bloc à bloc toutes les constructions qui occupaient l'espace entre deux pylônes construits

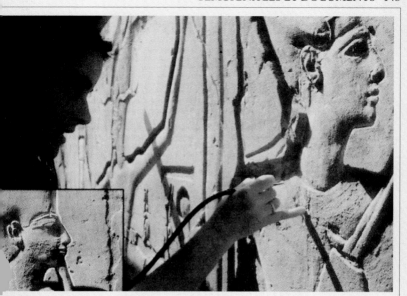

probablement par Hatshepsout :
e IVᵉ pylône au nom de Thoutmosis Iᵉʳ
t, plus à l'Ouest, un autre pylône au
om de Thoutmosis II et qui marquait
lors l'entrée du temple. La majorité
e ces blocs a ensuite été remployée
omme matériau de remplissage dans les
ondations et les superstructures du
IIᵉ pylône. Depuis l'abandon du temple,
es destructions successives l'ont réduit
u quart de sa hauteur. De 1923 à 1954,
a été vidé de son remplissage
usqu'au niveau de la nappe phréatique.
Des milliers de blocs en grès, calcaire,
uartzite, diorite, granite et calcite dont
e plus gros pesait 103 tonnes, en ont été
xtraits puis entassés dans l'actuel
nusée de plein air. Entre 1937 et 1948,
Henri Chevrier commença leur
econstruction par la chapelle blanche
e Sésostris Iᵉʳ et la chapelle en calcite
d'Amenhotep Iᵉʳ. Un vaste programme

d'étude a abouti à la reconstruction
depuis 1989 des éléments de la cour
des fêtes de Thoutmosis II, des reposoirs
de barque en calcite de Thoutmosis III
et Thoutmosis IV, de la cour à portique
de Thoutmosis IV et de la chapelle
Rouge d'Hatshepsout. Le dernier édifice
présenté dans le musée de plein air est
la Chapelle en calcite d'Amenhotep II,
dont la plupart des blocs ont été
découverts dans les fondations du
IIIᵉ pylône, à l'exception de deux
imposantes dalles qui étaient
remployées comme stèle dans le temple
de Mout. L'anastylose de cette chapelle
a mis en évidence des détails
architecturaux qui permettent d'établir
son surprenant emplacement d'origine
entre les deux obélisques au nom de
Thoutmosis Iᵉʳ, qui étaient dressés
devant le IVᵉ pylône.

Nicolas Grimal - François Larché

L'archéologie égyptienne aujourd'hui

Une intense activité archéologique se déploie en Égypte, que ce soit dans le domaine des fouilles proprement dites, de la restauration des monuments, des relevés épigraphiques, de la prospection dans des zones moins bien connues telles que les déserts. De la Préhistoire aux périodes copte et islamique, toutes les époques sont étudiées. Beaucoup plus d'une centaine de sites sont explorés en Égypte et une quarantaine au Soudan.

Gizeh et Saqqarah, Thèbes et la nécropole thébaine, comptent de nombreuses missions du Conseil supérieur des antiquités égyptien (SCA) ou d'institutions de très nombreux pays. Ainsi, à Saqqarah plus de vingt-cinq secteurs d'activité peuvent être dénombrés et une trentaine sur la rive ouest de Thèbes, dans les nécropoles et les temples funéraires. La description rapide de quelques travaux menés sur des sites présentés du nord vers le sud, permet d'appréhender l'étendue et la variété de l'archéologie en Égypte.

Fouilles sous-marines à Alexandrie

Alexandrie, la capitale des Ptolémées, est l'objet de diverses recherches, notamment de spectaculaires fouilles sous-marines. Depuis 1994 et jusqu'à tout récemment, une mission du Centre d'études alexandrines (CEA) et de l'Institut français d'archéologie orientale du Caire (IFAO), secondée par des plongeurs égyptiens, a exploré le site immergé situé à l'est du fort mamelouk de Qaitbay, à la pointe est de l'ancienne île de Pharos.

Ces travaux sous-marins ont permis de cartographier et de dessiner les vestiges immergés provenant de monuments de l'ancienne Alexandrie et sans doute également du Phare lui-même. Ils forment un site de plus de 2 ha riche d'un entassement de plusieurs milliers d'éléments architecturaux (colonnes, bases, chapiteaux) et de statues, sphinx, obélisques. Parmi les milliers de blocs, on distingue au pied du fort une série de pièces de granit d'une taille et d'un poids sortant des normes, qu'on est tenté d'attribuer au Phare. Nombre de vestiges pharaoniques proviennent sans doute d'Héliopolis où, à l'époque gréco-romaine on avait puisé pour les constructions et le décor d'Alexandrie. L'originalité de cette fouille, déjà fort originale par nature, est de faire remonter, à travers les monuments immergés de l'ancienne Alexandrie, jusqu'à l'ancienne Héliopolis disparue. En outre, des recherches sont menées dans la ville même, les fouilles de sauvetage aux emplacements libérés par la démolition de grands bâtiments livrant peu à peu un

Sphinx retrouvé lors des fouilles sous-marines d'Alexandrie.

puzzle de l'ancienne cité. Dernièrement des travaux dans le faubourg de Gabbari sur le chantier d'un autopont ont mis au jour une nouvelle nécropole souterraine faite de loculi superposés datant du IIIᵉ siècle av. J.-C. au IVᵉ siècle apr. J.-C.

Sur les traces de Ramsès

Les fouilles de l'Institut autrichien du Caire ont résolu le problème de la localisation d'Avaris et de Pi-Ramsès, ancienne capitale des Hyksôs (ca 1650-1539 et résidence ramesside (v. 1293-1069) situées sur le site de Tell el-Dab'a. Là, au début des années 1990, les archéologues ont dégagé, à proximité d'un palais de l'époque Hyksôs tardive, des fragments de peinture de style minoen (v. 1500-1300). C'est une découverte tout à fait extraordinaire de milliers de fragments d'enduit ornés de peintures murales dont les thèmes représentés sont semblables à ceux exhumés à Cnossos. D'autres murs du deuxième palais du début de la XVIIIᵉ dynastie (v. 1539-1400) portent aussi un enduit peint d'un type minoen. Toute cette documentation est à l'étude et révèle des relations particulières avec la cour de Cnossos.

Pyramides et mastabas

À Abou Roach, depuis 1995, une mission conjointe de l'université de Genève et de l'IFAO procède à l'exploration du complexe funéraire et au dégagement des souterrains de la pyramide du roi Didoufri de la IVᵉ dynastie (v. 2561-2450), successeur de Chéops. Les travaux sont de très grande envergure car, pour parvenir au caveau du roi, jamais dégagé, il faut retirer l'amoncellement de tonnes de blocs calcaires dans la descenderie et dans le grand puits funéraire.

Gizeh, le site des grandes pyramides de la IVᵉ dynastie, qui focalise depuis toujours les fantasmes de l'imaginaire collectif, est un lieu d'intense activité archéologique. On a longuement parlé, au sujet de la pyramide de Chéops, des investigations, dans les conduits d'aération, à la recherche de chambres secrètes à l'aide d'un robot téléguidé. Cependant, parmi les travaux récents les plus intéressants, deux secteurs livrent une documentation qui diffère de celle connue sur ce site. Au sud du sphinx, des archéologues égyptiens du SCA ont découvert une nécropole d'ouvriers et de contremaîtres de l'Ancien Empire (v. 2635- 2140), livrant stèles, tables d'offrandes et statues ainsi que de la poterie. Une mission de l'Oriental Institute de Chicago travaillant également dans cette zone située au sud du plateau des pyramides a mis au jour un secteur artisanal comportant de grandes boulangeries et des structures qui se révèlent être des installations pour la préparation du poisson séché, le tout à grande échelle. Ce sont certainement des installations royales de l'Ancien Empire, dépendant de la Résidence.

Dans l'immense site de Saqqarah, J.-Ph. Lauer poursuivait encore récemment, avec son équipe égyptienne, les travaux de restauration et d'anastylose (reconstruction à l'identique) du complexe funéraire du roi Djeser de la IIIe dynastie. La mission archéologique française de Saqqarah dégage et restaure le complexe de la pyramide de Pépi Ier, de la VIe dynastie (v. 2321-2140), remontant le puzzle des textes dans les caveaux et dégageant la pyramide. Face au problème posé par les énormes masses de sable entourant la pyramide, les fouilleurs ont fait appel à des ingénieurs du service de recherches de l'EDF qui ont prospecté autour du monument en ayant recours à des moyens géophysiques de surface. En fonction de la résistivité du sol, l'analyse des mesures désignait des points à fouiller en priorité, au sud de la pyramide du roi. C'est ainsi que sont mis au jour, chaque année, les ensembles funéraires des reines et leurs pyramides. La mission du musée du Louvre retrouve sous les sables le grand mastaba (tombeau) du haut dignitaire de la ve dynastie Akhethetep dont chapelle est conservée à Paris, cependant que la mission conjointe de l'Australian Centre for Egyptology de la Macquarie University (Sydney) et du SCA découvre de nouveaux mastabas au nord de la pyramide de Téti (VIe dynastie). Des missions anglo-néerlandaise (Egypt Exploration Society

et musée de Leyde), égyptienne (SCA) et française (mission archéologique française du Bubasteion) se consacrent à l'étude ou à la découverte des tombeaux de grands dignitaires du Nouvel Empire (v. 1539-1069) tels Maya, Horemheb, Aperia. Les Japonais de l'université Waseda de Tôkyô dégagent et étudient un monument du prince Khâemouaset, fils de Ramsès II, grand admirateur et restaurateur des monuments de Saqqarah.

À Dahchour, une mission de l'Institut allemand d'archéologie du Caire étudie les pyramides de Snéfrou (IVe dynastie) et fouille les mastabas des contemporains. La mission du Metropolitan Museum de New York, poursuivant des recherches dans le complexe funéraire de Sésostris III (XIIe dynastie, v. 1963-1786), son temple funéraire et les mastabas proches, a découvert de très beaux bijoux du Moyen Empire comprenant notamment des scarabées en améthyste, des pendentifs en or en forme de lion, des turquoises.

À Abydos une mission de l'Institut allemand d'archéologie du Caire a repris les fouilles de la nécropole royale archaïque (des premières dynasties) anciennement dégagée par l'égyptologue anglais Petrie. Les méthodes actuelles diffèrent grandement et la fouille minutieuse telle qu'on la pratique de nos jours a permis des trouvailles d'une extrême importance pour l'histoire des débuts de la période pharaonique. Des objets tels qu'empreintes de cylindres-sceaux et de sceaux, tablettes relatant les événements de l'année et les fêtes, tessons de récipients parfois marqués d'inscriptions à l'encre constituent un butin inestimable pour la chronologie égyptienne.

L'étude des textes et la publication du grand temple d'Hathor à Dendara ainsi que son étude architecturale sont en cours par une mission française conjointe CNRS-IFAO. La collaboration exemplaire d'un astrophysicien et d'un égyptologue autour de l'étude du zodiaque de Dendara, conservé au musée du Louvre, a permis une remarquable datation de sa composition, et donc de la décoration des chapelles osiriennes, en juin-août 50 av. J.-C.

Thèbes, un immense chantier de fouilles

Le grand temple d'Amon de Karnak est un chantier permanent où se poursuivent les nettoyages, les restaurations et anastyloses. Les réalisations menées à bien par la mission du Centre franco-égyptien d'étude des temples de Karnak, particulièrement dans le musée en plein air, sont tout à fait remarquables. Là, des monuments retrouvés démontés dans différents endroits du temple, et en particulier dans les pylônes, sont reconstruits et retrouvent vie. Dans le temple de Louqsor, en janvier 1989, et par hasard lors de travaux de routine dans la cour à péristyle, les archéologues égyptiens du SCA font une fantastique découverte : une cachette de vingt-six magnifiques statues de dieux et de rois, dans un excellent état de conservation, dont une, en quartzite rouge, représente Aménophis III debout sur un traîneau.

La rive gauche thébaine est traditionnellement un lieu d'intense activité, tant dans les nécropoles que dans les grands temples funéraires royaux. Dans la vallée des Rois, où beaucoup de travaux de nettoyage et de restauration ont lieu actuellement, une mission de l'université américaine du Caire dégage la tombe des fils de Ramsès II. L'hypogée, très partiellement ouvert aux alentours de 1820, avait été rapidement caché par les gravats provenant des fouilles d'autres tombes. C'est seulement en 1995 que le dégagement, repris après localisation au radar et au sonar, a révélé l'extraordinaire extension de cette tombe, seule de son espèce dans toute la vallée. Elle comporte une multitude de chambres, quatre-vingt-quinze pour le moment, symétriquement réparties de chaque côté de deux couloirs disposés en T, tandis que des descenderies vers un niveau inférieur ont été repérées. Le dégagement par la mission de l'Institut suisse du Caire du temple funéraire de Merenptah, fils et successeur de Ramsès II, a mis au jour beaucoup de blocs provenant de l'immense temple funéraire d'Aménophis III (v. 1391-1353) réutilisés dans sa construction. C'est une trouvaille de grande importance pour la redécouverte en cours de ce temple dont il ne restait guère visible que les fameux colosses de Memnon, statues colossales d'Aménophis III ; d'autant que le style de ce règne est sans doute un des plus beaux de l'art égyptien.

Recherches dans le désert

Ces dernières années ont vu une recrudescence des recherches dans les déserts, sur des sites d'installation bien connus liés à des exploitations de minerais tels que la turquoise dans le Sinaï, la galène dans le désert Oriental, ou plus tard, à l'époque romaine, les grands sites d'exploitation du porphyre ou du granodiorite pour la construction de Rome et des fortins romains jalonnant les routes de la vallée du Nil à la mer Rouge. Dans les oasis

Secteur du palais des derniers souverains de Kerma (v. 1600 av. J.-C.)

du désert Libyque, une mission de
l'IFAO explore une exceptionnelle
ville de la fin de l'Ancien Empire
avec sa nécropole (Balat, oasis
de Dakhla), dont le quartier sud,
actuellement en cours de fouille,
comporte un palais et des chapelles
dédiées aux gouverneurs de l'oasis, et
livre des textes hiératiques écrits sur
tablettes d'argile. Plus au sud, dans
l'oasis de Kharga, est un grand site
ptolémaïque et romain (Douch) où fut
retrouvé en 1989 un véritable «trésor»
de la première moitié du iie siècle de
notre ère, dissimulé dans une jarre.

Dans un site tout proche, Aïn
Manawîr, a été mise au jour une
installation plus ancienne datée par
une archive d'ostraca démotiques
de la première domination perse.
Cette installation de nature agricole,
où l'image du parcellaire est toujours
visible dans le sable, comporte un réseau
très sophistiqué d'irrigation par qanâts,
système de grandes canalisations
souterraines creusées dans le rocher,
originaire de Perse.

Au Soudan, le royaume de Kerma

Au sud de l'Égypte, le Soudan est
toujours le lieu de nombreuses
recherches archéologiques, où
collaborent les missions étrangères
et le NCAM (National Corporation for
Antiquities and Museums). Après une
intense activité lors de la campagne
de Nubie, et la disparition sous les eaux
du barrage d'Assouan des grandes
forteresses en brique du Moyen Empire,
les recherches se concentrent
maintenant de préférence sur des sites
où des cultures originales spécifiques
à ces régions du Nil se sont développées,
plus que sur la période de domination
égyptienne au Nouvel Empire : ce sont
notamment les grands sites des périodes
Kerma (v. 2500-1500), napatéenne

(900-700) et méroïtique (270 av. J.-C.-350 apr. J.-C.), ainsi que des nécropoles préhistoriques inviolées, qui livrent un matériel remarquable.

Le site majeur de Kerma, fouillé depuis plus de vingt ans par la mission suisse de l'Université de Genève, révèle l'existence d'un véritable État au sud de la troisième cataracte du Nil, s'étendant sur presque un millénaire entre le XXIVe et le XVe siècle avant notre ère. Ce royaume de Kerma, que l'on peut sans doute identifier au « pays de Iam », puis à la Koush des textes égyptiens, est en contact avec l'Égypte dès l'Ancien Empire, à travers des échanges commerciaux mais aussi par l'expression d'une puissance militaire qui incite les pharaons du Moyen Empire à fortifier la région de la deuxième cataracte.

Une mission française explore l'île de Saï, conservatoire de toutes les civilisations qui se sont succédé au Soudan, de la préhistoire à la période ottomane tandis qu'une autre mission française fouille le site proche de Sedeinga où, près du temple de la reine Tiyi, s'étend une nécropole méroïtique. Les grands sites napatéens et méroïtiques de Naga et Mussawarat el-Sufra sont actuellement fouillés par deux missions allemandes du musée de Berlin et de l'université Humboldt tandis qu'au Gebel Barkal ce sont les missions américaine du Museum of Fine Arts de Boston, italienne de l'université de Rome et espagnole de Barcelone qui travaillent. Les recherches préhistoriques dans le Soudan central, menées notamment par une mission du Centre polonais d'archéologie méditerranéenne et du musée de Poznan à Kadero et de la section française de la Direction des antiquités du Soudan à Kadada, révèlent une civilisation primitive dont on peut envisager les influences réciproques les plus variées et l'importance dans l'élaboration de l'agriculture de l'Égypte.

Enjeux et perspectives de l'égyptologie

La découverte de l'Égypte se poursuit, se complète, s'affine; les recherches s'attachent à approfondir la connaissance des sites, à améliorer les datations, à explorer des zones mal ou superficiellement connues. A l'équipe traditionnelle d'une mission de fouille, composée d'épigraphistes, architectes, céramologues, dessinateurs, photographes, topographes, peut s'adjoindre encore d'autres spécialistes. Les missions, de plus en plus pluridisciplinaires, comprennent fréquemment des anthropologues, paléobotanistes, paléozoologues, géomorphologues… De même, diverses techniques, comme la résistivité des sols pour la prospection, les analyses d'ADN pour établir des liens entre des populations, les analyses physicochimiques de contenus de récipients, de composition des métaux ou des pigments, aident à la connaissance du passé. C'est, sous une forme moderne, à nouveau une Description de l'Égypte qui est en jeu, avec les moyens disponibles de nos jours, et où l'informatique a sa place.

À la question, fréquemment posée aux archéologues, de savoir s'il reste encore de grandes découvertes à faire en Égypte, la réponse est toujours affirmative et sans doute pour des générations de chercheurs.

Anne Minault-Gout

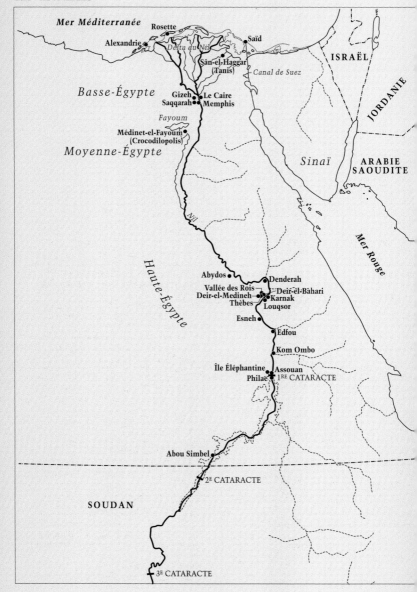

BIBLIOGRAPHIE

Rééditions

Belzoni G., *Voyages en Égypte et en Nubie,* Paris, ygmalion, 1979.

Chauvet M., *Frédéric Cailliaud. Les Aventures 'un naturaliste en Égypte et au Soudan 1815-1822,* aint-Sébastien, ACL-Crocus, 1989.

Description de L'Égypte, ou Recueil des bservations et des recherches qui ont été faites en gypte pendant l'expédition de l'armée française, dition réduite des planches, Cologne, Taschen, 995.

Dewachter M., *Un Avesnois : l'égyptologue risse d'Avennes (1807-1879). Études et ocuments inédits,* Avesnes, Société archéologique historique de l'Arrondissement d'Avesnes-sur-elpe, 1988.

Gillispie Ch.-C., Dewachter M., *Monuments e l'Égypte : l'édition impériale de 1809,* Paris, azan, 1988.

Lacarrière J., *L'Égypte. Au pays d'Hérodote,* aris, Ramsay, 1995.

L'Égypte antique illustrée de Champollion et osellini, textes de Bresciani E., Donadoni S., uidotti M.-C., Leospo E., préface de Leclant J., aris, Citadelles & Mazenod, 1993.

L'Égypte de Jean-François Champollion. Lettres journaux de voyage (1828-1829), photographies e Champollion H., préface de Ziegler C., resnes, Image/Magie, 1989.

L'Hôte N., Sur le Nil avec Champollion. Lettres, urnaux et dessins inédits, recueillis par Harlé D. Lefebvre J., préface de Ziegler C., Orléans-aen, Paradigme, 1993.

Mariette A., *Itinéraire de la Haute-Égypte mprenant une description des monuments tiques des rives du Nil entre Le Caire et la emière cataracte,* Paris, Éditions 1900, 1990.

Plutarque, *Traité d'Isis et d'Osiris,* Paris, Sand, 1995. Shinnie M., *Journal de Linant de Bellefonds : nées 1821-1822,* Khartoum, Service des ntiquités du Soudan, 1958.

Strabon, *Le Voyage en Égypte,* Yoyotte J., narvet P., Gompertz S., Nil, Paris, 1997.

Un voyageur en Égypte vers 1850 : le «Nil» de axime du Camp, présentation de Dewachter M. Oster D., Paris, Sand/Conti, 1987.

Vivant Denon D., *Voyage en Basse et Haute Égypte,* ésentation de Vatin J.-Cl., Le Caire, IFAO, 1990.

Ouvrages généraux

Andreu G., Rutschowscaya M.-H., Ziegler Ch., *Égypte ancienne au Louvre,* Paris, Hachette, 97.

- Aufrère S., Golvin J.-Cl., Goyon G., *L'Égypte restituée,* 3 vol., Paris, Errance, 1991 à 1997.
- Beaucour F., Laissus Y., Orgogozo Ch., *La Découverte de l'Égypte,* Paris, Flammarion, 1989.
- Dawson W.R., Uphill E. P., *Who was who in Egyptology,* Londres, The Egypt Exploration Society, 1995.
- Donadoni S., Curto S., Donadoni-Roveri A.-M., *L'Égypte du mythe à l'égyptologie,* Milan, 1990.
- Dunand F., Lichtenberg R., *Les Momies, un voyage dans l'éternité,* Paris, «Découvertes Gallimard», 1993.
- *Égyptologie, le rêve et la science,* catalogue d'exposition, Paris, AFAA-Fondation Électricité de France, 1998.
- Fiechter J.-J., *La Moisson des dieux : la constitution des grandes collections égyptiennes 1815-1830,* Paris, Julliard, 1994.
- *France-Égypte. Dialogue de deux cultures,* sous la direction scientifique de Jean-Marcel Humbert, Paris, AFAA-Paris-Musées-Gallimard-L'Œil, 1998.
- Goyon G., *La Découverte des trésors de Tanis,* préface de Leclant J., Paris, Persea, 1987.
- Grimal N., *Histoire de l'Égypte ancienne,* Paris, Fayard, 1988.
- Janosi P., *Österreich vor den Pyramiden,* Vienne, Österreichische Akademie der Wissenschaften, 1997.
- Janssen R. M., *The First Hundred Years : Egyptology at University College London 1892-1992,* New Malden, 1992.
- Kettel J., *Jean-François Champollion le Jeune. Répertoire de bibliographie analytique, 1806-1989,* nouvelle série, tome X, Paris, Mémoires de l'Académie des Inscriptions et Belles-Lettres, 1989.
- Laurens H., *L'Expédition d'Égypte : 1798-1801,* Paris, Armand Colin, 1990.
- Leclant J., «Aux sources de l'égyptologie européenne : Champollion, Young, Rosellini, Lepsius», in *Comptes rendus de l'Académie des inscriptions et belles-lettres,* Paris, Institut de France, 1991.
- Lehner M., *The Complete Pyramids,* Le Caire, The American University in Cairo Press, 1997.
- Malek J., Baines J., *Atlas de l'Égypte ancienne,* Paris, 1990.
- *Mémoires d'Égypte. Hommage de l'Europe à Champollion,* catalogue d'exposition, Strasbourg, La Nuée Bleue, 1990.
- Montet P., *Isis, ou à la recherche de l'Égypte ensevelie,* Paris, Hachette, 1956.

- Murat L., Weill N., *L'Expédition d'Égypte,
le rêve oriental de Bonaparte*, Paris, «Découvertes
Gallimard», 1997.
- Reeves N. Wilkinson R.H., *The Complete Valley
of the Kings. Tombs and Treasures of Egypt's
Greatest Pharaohs*, Le Caire, The American
University in Cairo Press, 1996.
- Solé R., *L'Égypte, passion française*, Paris,
Le Seuil, 1997.
- *Tanis. L'or des pharaons*, catalogue d'exposition,
Paris, AFAA, 1987.
- Thomas N., Scott G. D., Trigger B. G.,
The American Discovery of Ancient Egypt,
catalogue d'exposition, Los Angeles, 1997.
- Traunecker Cl., Golvin J.-Cl., *Karnak :
résurrection d'un site*, Fribourg, Office du Livre,
1984.

Voyageurs, curiosités, égyptomanie
- Baltrusaitis J., *Essai sur la légende d'un mythe,
la quête d'Isis, introduction à l'égyptomanie*, Paris,
Perrin, 1967.
- Carré J.-M., *Voyageurs et écrivains français
en Égypte*, Le Caire, IFAO, 1989-1990.
- Clayton P. A., *L'Égypte retrouvée : artistes et
voyageurs des années romantiques*, Paris, Seghers,
1984.
- Clément R., *Les Français d'Égypte aux XVIIᵉ
et XVIIIᵉ siècles*, Le Caire, IFAO, 1960.
- De Meulenaere H., *L'Égypte ancienne dans
la peinture du XIXᵉ siècle*, Knokke, Berko, 1992.
- Duff Gordon L., *Lettres d'Égypte*, Paris, Payot,
1997.
- *Égypte et Provence. Civilisation, Survivances et
«Cabinetz de Curiositez»*, catalogue d'exposition,
Avignon, Fondation du Museum Calvet, 1985.
- Fagan B., *L'Aventure archéologique en Égypte :
voleurs de tombes, touristes et archéologues en
Égypte*, Paris, Pygmalion, 1981.
- Gauthier Th., *Le Roman de la momie*, Paris,
Flammarion, 1995.

- Humbert J.-M., *L'Égyptomanie dans l'art
occidental*, Paris, ACR, 1989.
- *L'Égypte à la chambre noire : Francis Frith,
photographe de l'Égypte retrouvée*, présenté par
J. Vercoutter, Paris, Gallimard, 1992.
- *Le Roman de la Momie. Les amours d'une
princesse égyptienne*, catalogue d'exposition,
abbaye Saint-Gérard-de-Brogne, 1997.
- Loti P., *La Mort de Philae*, Paris, Calmann-Lévy,
1908.
- Menu B., *L'Obélisque de la Concorde*, Paris,
L'Association à la pulpe, 1987.
- Raymond A., *Egyptiens et Français au Caire
1798-1801*, Le Caire, IFAO, 1998.
- Simoen J.-Cl., *Le Voyage en Égypte. Les grands
voyageurs au XIXᵉ siècle*, Paris, Lattès, 1989.
*Égypte éternelle : les voyageurs photographes au
siècle dernier*, Paris, 1993.
- Thornton L., *Les Orientalistes peintres voyageurs
1828-1908*, Paris, ACR, 1983.
- Volkoff O., *Comment on visitait la vallée du Nil :
les «guides» de l'Égypte*, Le Caire, IFAO, 1967.

Biographies
- Aufrère S.H., *La Momie et la tempête. Nicolas-
Claude Fabri de Pereisc et la «Curiosité
égyptienne» en Provence au début du XVIIᵉ siècle*,
Avignon, Éditions A. Barthélemy, 1990.
- David E., *Mariette Pacha*, Paris, Pygmalion, 1994.
- Dewachter M., *Champollion, un scribe pour
l'Égypte*, Paris, «Découvertes Gallimard», 1990.
- Ghali I.-A., *Vivant Denon, ou la conquête du
bonheur*, Le Caire, IFAO, 1986.
- Hartleben H., *Champollion : sa vie et son œuvre
1790-1832*, Paris, Pygmalion, 1983.
- Lacouture J., *Champollion : une vie de lumières*,
Paris, Grasset, 1988.
- Sinoué G., *Le Dernier Pharaon Méhémet Ali
1770-1849*, Paris, Pygmalion, 1997.
- Sollers Ph., *Vivant Denon*, Paris, «Folio»,
Gallimard, 1997.

**TABLE DES
ILLUSTRATIONS**

Abréviations ; h : haut ;
b : bas ; m : milieu ;
g : gauche ; d : droite.

COUVERTURE

1ᵉʳ plat Arrivée du
simoun, désert de
Gizeh, *in* David

Roberts, *Egypt and
Nubia*, 1846-1850.
Dos Papyrus Harris.
British Museum,
Londres.
2ᵉ plat Dessin extrait
de *Monuments
d'Égypte et de Nubie*,
Champollion, 1845.

OUVERTURE

2 Pierre de Rosette.

British Museum,
Londres.
3 à 9 Le déchiffrement
des hiéroglyphes par
J. F. Champollion,
illustrations de
Dominique Thibault.
11 Tête du dieu Soleil
émergeant d'une fleur
de lotus, trésor de
Toutânkhamon. Musée
du Caire.

CHAPITRE 1
12 Kom Ombo, *in*
David Roberts, *Egypt
and Nubia*, 1846-1850.
13 Tête d'Alexandre
en marbre. Musée
du Louvre, Paris.
14-15 Ruines de la
bibliothèque des
Ptolémées, *in* Mayer,
Views in Egypt, 1804.
15h Monnaie

d'Alexandrie à l'effigie de Ptolémée Ier. Bibliothèque nationale de France (BnF), Paris.
16 Cérémonie dans un temple d'Isis, fresque d'Herculanum. Musée national, Naples.
17g Sortie d'Égypte, passage de la mer Rouge, in Miroir de l'humaine salvation. Musée Condé, Chantilly.
17d Obélisques de Saint-Jean-de-Latran, in Kircher, Œdipus Ægyptiacus, 1652-1654. BnF, Paris.

CHAPITRE 2

18 Bateau près de Nedssili, in Mayer, Views in Egypt, 1804.
19 Momie de chat. British Museum, Londres.
20h-21h Arrivée de Syro-Palestiniens en Égypte, in Prisse d'Avennes, Histoire de l'art égyptien, 1858-1877. BnF, Paris.
21b Peinture de la tombe de Sebekhotep, Thèbes, vers 1420 av. J.-C. British Museum, Londres.
22h Tête de pharaon in Vandier d'Abaddie, Ostraca figurés de Deir-el-Medineh, BnF, Paris.
22b Scène nilotique, mosaïque, Palestrina. Musée Prenestino Barberiniano.
23 Crocodile du Nil à Thèbes, aquarelle de Wilkinson. BnF, Paris.
24 Momies de serpent, crocodile et chien, in Description de l'Égypte, 1809.
24-25 Défunte adorant crocodile, papyrus.

Musée égyptien, Le Caire.
26h Plan de Crocodilopolis, in Rifaud, Voyages 1805-1827, 1830.
26b Colosse de Memnon, in Lepsius, Denkmäler aus Aegypten und Aethiopien, 1849-1850.
27 Colonne d'Alexandre Sévère à Antinoë, in Description de l'Égypte, 1809.

CHAPITRE 3

28 Retraite des croisés vers Damiette, in Livre des faiz Monseigneur saint Louis.
29 Damiette, in Vincent de Beauvais, Le Miroir historial. Musée Condé, Chantilly.
30h Pyramides d'Égypte, in Sébastien Munster, Cosmographie, 1554.
30b Les pyramides d'Égypte, in Kircher, Œdipus Ægyptiacus, 1652-1654. BnF, Paris.
31 Monastère copte à Saint-Siméon.
32hg Scène de carnaval, in Jean de Thévenot, Relation d'un voyage au Levant, 1664. BnF, Paris.
32hd Portrait de l'auteur. Idem.
32b Jean de Thévenot examinant une momie. Idem.
33h Colonne de Pompée à Alexandrie, gravure de Benoît de Maillet. BnF, Paris.
33b Coupe de la Grande Pyramide. Idem.
34-35 Carte de l'Égypte, aquarelle de Sicard, 1717. BnF, Paris.

36-37 Vue de la Grande Pyramide, in Perring, The Pyramids of Giseh, 1839-1842.
36h La deuxième pyramide, entrée supérieure. Idem.
37h La deuxième pyramide, entrée intérieure. Idem.
38g Vue intérieure d'une catacombe près d'Alexandrie, in Mayer, Views in Egypt, 1804.
38d-39d Vue de la galerie haute de la Grande Pyramide, in Description de l'Égypte, 1809.
40-41 Les pyramides de Gizeh. Idem.
42-43 Tête de Sphinx. Idem.
44-45 Sommet de la première pyramide de Gizeh. Idem.
46 Passage de la deuxième à la troisième galerie dans la Grande Pyramide. Idem.
47 Chambre et sarcophage dans la Grande Pyramide. Idem.
48 Autoportrait de Vivant Denon, peinture. Musée Denon, Chalon-sur-Saône.
49 Composition allégorique relative à Vivant Denon, dessin de Benjamin Zix, 1811.
50-51 Vivant Denon dessinant près des ruines d'Hiéracoupolis, in Vivant Denon, Voyage dans la Basse et Haute Égypte, 1802.
51h Quartier général dans les tombeaux de Nagada. Idem.

CHAPITRE 4

52 Bataille des pyramides, peinture de Louis Lejeune, 1806. Musée national du château de Versailles.
53 Bonaparte en Égypte, lithographie anonyme. BnF, Paris.
54 Savants de la Commission d'Égypte, dessin préparatoire à la Description de l'Égypte. Idem.
55 Temple de Kasr-Qaroun. Idem.
56-57 Selseleh : vue des grottes taillées à l'entrée des anciennes carrières. Idem.
57hd Objets en calcaire, in Description de l'Égypte, 1809. BnF, Paris.
57b Ruines d'Éléphantine, in Vivant Denon, Voyage dans la Basse et Haute Égypte, 1802.
58 Femme cherchant des antiquités dans une tombe à Thèbes, aquarelle de Wilkinson. BnF, Paris.
59 Antiquités égyptiennes dans le hall d'une maison de campagne à Boulacq, in Mayer, Views in Egypt, 1804.
60h Mamelouks, aquarelle de Wilkinson. BnF, Paris.
60b Méhémet Ali, gravure de Hector Horeau. BnF, Paris.
61 Drovetti et son équipe en 1818, in Forbin, Voyage dans le Levant, 1819.
62g Thoutmosis III, statue de granit. Musée égyptien, Turin.
62d Drovetti, consul de France, gravure. BnF, Paris.

63h Couvercle d'un sarcophage découvert à Thèbes, dessin *in* Rifaud, *Voyages 1805-1822*, 1830.

63b Barques du lac Menzalé, du lac Carounet du Nil, aquarelle. *Idem.*

64-65 Vue du mont Barkal, *in* Lepsius, *Denkmäler aus Aegypten und Aethiopien*, 1849-1859.

65h Coupe en or de Thoutii. Musée du Louvre, Paris.

66 Henry Salt, consul d'Angleterre.

66-67 Vue du Grand Caire, de Henry Salt. BnF, Paris.

68h Belzoni à Londres dans «Samson de Patagonie», aquarelle de Norman. British Library, Londres.

68b Belzoni en costume turc, lithographie, 1820.

69hg Belzoni dessine pyramides. *Idem.*

69hd Le pacha examine la machine hydraulique de Belzoni, *in* Belzoni, *L'Égypte et la Nubie*, 1823. BnF, Paris.

70-71 Moyen par lequel Memnon fut transporté par Belzoni, aquarelle de Belzoni, *in* Belzoni, *L'Égypte et la Nubie*, **1823**. BnF, Paris.

72 Ramsès II. British Museum, Londres.

73h Tête colossale découverte dans les ruines de Karnak, *in* Belzoni, *L'Égypte et la Nubie*, **1823**. BnF, Paris.

73b Intérieur du temple de Karnak. *Idem.*

74-75 Vue générale des ruines du temple de Karnak, dessin de Belzoni.

76-77 Vue extérieure des deux temples d'Abou Simbel, *in* Belzoni, *Narrative of the Operations in Egypt and Nubia*, 1820.

78-79 Vue de l'intérieur du temple d'Abou Simbel. *Idem.*

80-81 Tombe de Séti. *Idem.*

82 *Le Petit Temple de Deir-el-Medineh*, peinture de David Roberts.

83 *Temple de Denderah en Haute Égypte*, peinture de David Roberts. Bristol Museum.

84-85 La Haute Égypte et ses antiquités, *in* Horeau, *Panorama d'Égypte et de Nubie*, 1838.

CHAPITRE 5

86 *Champollion le Jeune*, peinture de Léon Cogniet, 1831. Musée du Louvre, Paris.

87 Abou Simbel, grand spéos. Grande Salle, *in* Champollion, *Monuments de l'Égypte et de la Nubie*, 1845.

88h Une séance de l'Institut d'Égypte en 1798, entrée de Bonaparte, *in Description de l'Égypte*, 1809.

88b Une mosquée près de Rosette, *in* Vivant Denon, *Voyage en Basse et Haute Égypte*, 1802.

89 Vue des ruines de Memphis, prise du sud-est, in *Description de l'Égypte*, 1809.

90 Champollion le Jeune, dessin. Musée Carnavalet, Paris.

91 Fac-similé de papyrus.

92h Abou Simbel, grand spéos, paroi sud, *in* Champollion, *Monuments de l'Égypte et de la Nubie*, 1845.

93h Fac-similé de papyrus.

94b Abou Simbel, tête de captif africain. *Idem.*

94h Frontispice de *Monuments de l'Égypte et de la Nubie*, Champollion, 1845.

94b Philæ, aquarelle de Nestor Lhôte. Musée du Louvre, Paris.

95h Fresque d'Abou Simbel, *in* Champollion, *Monuments de l'Égypte et de la Nubie*, 1845.

95m Fresque d'Abou Simbel. *Idem.*

96-97 Vue du temple de Séti à Karnak, *in* Lepsius, *Denkmäler aus Aegypten und Aethiopien*, 1849-1859.

96 Tête de momie gréco-égyptienne, aquarelle de Wilkinson. BnF, Paris.

98 Mobilier de Ramsès III, *in* Prisse d'Avennes, *Histoire de l'art égyptien*, 1858-1877.

99 Karnak, vue de la salle hypostyle, *in* Lepsius, *Denkmäler aus Aegypten und Aethiopien*, 1849-1859.

CHAPITRE 6

100 *L'impératrice Eugénie visitant les pyramides*, peinture de Théodore Frère. Christies, Londres.

101 Serapeum de Memphis, le taureau Apis. Musée du Louvre, Paris.

102 Karnak, aquarelle de Nestor Lhôte. Musée du Louvre, Paris.

103 Portrait de Mariette.

104 État des fouilles de Memphis vers 1859, porte d'entrée du Sérapeum.

105

106h Portrait de Saïd Pacha, vice-roi d'Égypte. BnF, Paris.

106b Mariette et ses proches, photo d'Arthur Rhoné.

107 Tombeau de Mariette, état des travaux le 18 mai 1822 *idem.*

108 Deir-el-Bahari, Temple de Hatshepsout.

108d Ouchebtis, in *Description de l'Égypte*, n° 9.

109h Gaston Maspero

109bg Momie entouré de roseaux, Thèbes, XXIᵉ dynastie.

109bd Deir-el-Bahari, cercueil et momie du prêtre Nebseni.

110 Deir-el-Bahari, momie de la princesse Imbeb, XXXIᵉ dynastie.

111 Momie de Ramsès II.

CHAPITRE 7

112 Trésor de Toutânkhamon, partie

supérieure du troisième sarcophage momiforme de Toutânkhamon. Musée égyptien, Le Caire.

113 Trésor de Toutânkhamon, le trône sacerdotal. *Idem.*

114 Découverte du tombeau de Toutânkhamon : aspect des fouilles en 1923.

115h Howard Carter.

115b Lord Carnarvon.

116h Trésor de Toutânkhamon, tête du dieu Soleil enfant émergeant d'une fleur de lotus. Musée égyptien, Le Caire.

116b Trésor de Toutânkhamon : boîte à miroir en forme de signe de vie. *Idem.*

117h Ouverture de la chambre royale du tombeau de Toutânkhamon par Carter et Carnarvon.

117b Trésor de Toutânkhamon, dague et son fourreau. Musée égyptien, Le Caire.

118-125 Tombeau de Toutânkhamon, étapes successives de la fouille de Carter et Carnarvon.

126h Pierre Montet.

126b Fouilles de Tanis.

127 Déchiffrement de papyrus reconstitué.

128 Philæ, aquarelle de Wilkinson (détail). BnF, Paris.

TÉMOIGNAGES ET DOCUMENTS

129 Touristes visitant un temple en Égypte, photo vers 1900.

130 L'aigle de Thèbes, *Description de l'Égypte ; État moderne,* tome II, 1809.

1h Le faiseur de tuyaux de pipe. *Idem.*

131m La dévideuse de laine. *Idem.*

131b Le pileur de tabac *Idem.*

131hd L'artisan du bois. *Idem.*

133 ?

134 Karnak, salle hypostyle, photo de Beato.

135 Le temple de Philae, lithographie de D. Roberts.

136 Auguste Mariette.

137h Planche III, in *le Sérapeum de Memphis,* Mariette, 1856.

137b Planche IV. *Idem.*

138h Planche IV, in *le Sérapeum de Memphis,* Mariette, 1856.

138b Stèle d'Apis, Basse Époque, calcaire peint. Musée du Louvre, Paris.

139h Planche VI. in *le Sérapeum de Memphis,* Mariette, 1856.

139b Sphinx royal du Sérapeum. *Idem.*

140 Démontage du grand temple d'Abou Simbel, 1965.

141h Vue aérienne des deux temples sur leur nouvel emplacement.

141b Découpage des colosses extérieurs du grand temple, le 9 février 1966.

INDEX

A

Aahotep 109.
Abder Rassoul, Mohammed 108, 109, 110, *111.*
Abou Simbel 75, *87, 91, 95, 95,* 98.
Abydos 106.
Agha Ayat, Mustafa 108.

Akerblad 93.
Alexandre 13, *15.*
Alexandre Sevère 27.
Alexandrie *13,* 14, *15,* 24, 33, *85.*
Aménophis Ier 64, 109.
Aménophis II 64, *65.*
Aménophis III 26.
Amon (temple d') 65, *73, 111.*
Amosis 109, *110.*
Antinoë *27,* 31.
Antinoüs *27,* 31.
Anubis 17, *123.*
Aphroditopolis 49.
Apis 26, *101,* 104, *105.*
Assouan *30-31,* 36.
Assyriens 20.

B

Bankes 82.
Barry 82.
Bassa, Ibrahim *30-31.*
Basse Thébaïde (carte des déserts) *34.*
Bastet *19.*
Belliard (général) *51.*
Belzoni, Jean-Baptiste *65,* 66, 68, 69-75, 76-80.
Beni Hasan 20.
Bonaparte 22, 30, 36, 48, 53, *60,* 87, *88.*
Bouchard, Pierre 88.
Boulaq (*voir* musées).
British Museum (*voir* musées).
Brugsh, H. *42,* 109-110, 127.
Burckhardt 68, 69, *76,* 82.
Burton 82.
Byzance 13, 16, 17.

C

Caffarelli (général) *88.*
Cailliaud 82.
Caïmakam 74.
Caire, Le 31, 60.
Cambyse 20.
Campagne d'Égypte (*voir aussi* Expédition d'Égypte) 131, 132, 133, 134, 135, 136.
Campbell 107.

Canope 24, 25 ; – vases canopes 110, *123.*
Caphany (*voir* Ramesseum)
Carnavon, lord 115-117.
Carter, Howard 114-116, 117, *121, 123, 125.*
Caviglia *42.*
Caylus (comte de) 33 ; – collection 33.
César *14, 15,* 23.
Champollion *20, 27,* 33, 35, 51, *57,* 64, *80, 87,* 90, 91, 92, 93, 94, 95, 101.
Charles X 48, 65, 67.
Chateaubriand 152-153.
Chéops (pyramide) *32-33, 41, 41,* 46.
Chéphren (pyramide) 36, 42.
Cléopâtre *14, 15.*
Coptes, couvents 30, 103 ; – manuscrits 103-104 ; – moines 59.
Crocodilopolis 25, *26,* 50.
Croisades 29 ; – croisés *28-29, 40, 41, 42, 43, 44.*
Cronstrand 82.

D

Damiette *28-29,* 30.
Davis, Théodore 115, 116.
Deir-el-Bahari 105, 107-111, 114.
Deir-el-Medineh (temple) *82.*
Delta (du Nil) 20, 22, 30, 31, 39, 126.
Denderah 36, 82.
Denkmäler aus Aegypten und Aethiopien (Monuments d'Égypte et de Nubie, K. Lepsius) 96.
Denon, Dominique Vivant (baron) 39, 48-51, *57,* 68, 102.
Desaix, Louis C. A. (général) 33, 48, 50, *51.*
Description ou Recueil des Observations et des Recherches qui ont été faites en Égypte

pendant l'expédition de l'armée française, publié par les ordres de S. M. L'Empereur Napoléon *22*, 51, 53-54, *55*, *56*, *88*, 96.
Dieu *19*, *25*, 27.
Dioclétien 59.
Diodore de Sicile 23, 24.
Dionysias (*voir* Kasr-Qaroun).
Drovetti 61-64, 68, *74*.

E - F

Écriture hiéroglyphique 13, 17, 27, 55, *80*, *87*, 88, 90-95, 101, 107.
Edfou 36, *85*.
Edriss Effendi (*voir* Prisse d'Avennes).
Éléphantine (île) 20, 23, 36, *57*, 106.
Esneh 36, *98*.
Eugénie (impératrice) *101*.
Exode 16.
Expédition d'Égypte (*voir aussi* Campagne d'Égypte) *22*, 30, 48, *50*, *87*.
Fayoum, le 23, 25, 55.
Finati 82.
Firman 60, 61, 70, 105.
Forbin *61*, 82.
France, Anatole 50, 51.

G

Gau 82.
Geb *25*.
Gebel Barkal *65*.
Genèse 16.
Germanicus 27.
Gizeh, pyramides 30, 31, 33, *37*, 38, 41-46, 88, 106, 109.
Gournah 70, 71, 107, 108.

H

Hadrien 27, 31, 59.
Hamilton 88.
Hathor *19*, *119*; – temple *82*.
Hatshepsout 109, 115.

Hay 82.
Hébreux *16*.
Herculanum *16*.
Hérodote 20, 21, 23, 24, 25, 27.
Hiéroglyphes (*voir* Écriture hiéroglyphique).
Histoire de l'Égypte (Manéthon) 14-15.
Homère 20.
Horeau, Hector *85*.
Horus *19*.
Hoskins 82.
Huyot 82.

I - K - L

Institut d'Égypte (Le Caire) *54*, *88*.
Isis *16*, 17, 24, 26.
Isisemkhheb *111*.
Karnak (temple) *57*, *67*, *69*, *73*, 74-75, *85*, 98, *102*.
Kasr-Qaroun (temple) 55.
Khnoumhotep *20*.
Kircher, Athanase 17.
Kom Ombo 36.
Lane 82.
Lehoux 94.
Lenormant, Charles 102.
Lepsius, Karl 65, 95, 96, 97, 98.
Lesseps, Ferdinand de 106.
Lettres écrites d'Égypte (Savary) 36, 37.
L'Hôte, Nestor 94, 102.
Linant de Bellefonds 82.
Livres des Morts 91.
Louis XV 48.
Louis XVI 48.
Louis XVIII 48, 62, 64.
Louqsor *75*, 98, 110; – obélisque 33, *57*, 108; – temple 109.
Louvre (*voir* musées).

M

Maillet, Benoît de 33, *32-33*, 36, 37, *42*.
Mamelouks 48, 50, 60.
Manéthon 14, 15, 16, 26, 27.

Manners and Customs of Ancient Egyptians (Wilkinson) 96.
Mansourah *28*, *29*.
Mariette, Auguste 26, *42*, 101, 102, 103, 104, 105, 106, 107, *109*, 127.
Maspero, Gaston *42*, *104*, 108, 109, 110, 111, 116, 127.
Mayer, Luigi *15*.
Méhémet Ali 55, 60, 61, 63, 69, 97.
Memnon 26; – colosses 27, *97*;– (Volney) 38.
Memphis 31, 36, *88*; Sérapeum de *101*, *103*, 104-105, *105*.
Menkheperré (*voir* Thoutmosis III).
Menou (général) 88.
Merikarê 55.
Minaut 61.
Moeris (lac de) 23.
Moïse *16*, 17.
Momies 19, *24-25*, *32-33*, *46*, *58*, 102, 104, 105, 107-111, 113, 117, 127.
Montet, Pierre 126, 127.
Montouhotep, temple 114.
Monuments d'Égypte et de Nubie (Champollion) *91*, *95*, 96.
Musées :
– Berlin 61, *65*, 98;
– Boulaq 101, 107, 109;
– British Museum 62, 66, 69, *73*, *80*, 90, *90*;
– Le Caire 59, 101.
– Louvre 48, *49*, 61, 62, 65, 94, 98, 101, 103, 206-213; – Turin 61, 62, 64, 67.
Mykérinos (pyramide) *37*.

N - O - P

Nagadi *51*.
Naucratis 20.
Nebamoun 56.
Nefertari 109.
Nil 17, *22*, *23*, 27, *33*, *56*, 91; delta du (*voir*

Delta).
Obélisques *17*, *33*, *57*, 67, 108.
Odyssée, L' 20.
Osiris *16*, 17, 26.
Osorkon II 127.
Ouadi Natroun 103.
Ouchebtis 108, 110.
Palerme, Jean *45*.
Panégyries 25.
Panorama d'Égypte et de Nubie (Horeau) *85*.
Paprémis 22.
Papyrus 14, 82, *91*, *92*, 107; – papyrus Prisse 98.
Parallèle géographique de l'ancienne Égypte et de l'Égypte moderne (Sicard) 36.
Péluse 20.
Perring 37.
Persépolis 39.
Perses 20.
Philæ (temple) *16*, 67, 75, *85*, *94*.
Philippe d'Orléans 34.
Pierre de Rosette (*voir* Rosette)
Pinedjem 107.
Plutarque 17, 26.
Pompée *14*; – colonne de 33, *85*.
Pontchartrain (comte de) 33.
Prisse d'Avennes 97, 98, 99.
Prosper, Albin *30-31*.
Psousennès 127.
Ptahhotep 98.
Ptolémaïs 50.
Ptolémée Ier 13, *14*.
Ptolémée XII *14*, *15*.
Pyramides 40, 41, 44, 45, 46, 47.

R

Ramesseum 69, *69*, 70, 71, *71*, 72, 73, 74, *75*.
Ramsès Ier 109.
Ramsès II 64, *73*, 75, *87*, 109, *110*, *111*.
Ramsès III 67, *75*, 98, 109.

amsès VI 114, *119*.
faud Jean-Jacques
ˈ6, *61*, 63, 64, 75.
berts, David 82.
chemonteix 106.
ome 16, 17.
sellini 94, 95.
sette 30.
sette (pierre de) *73*,
8, 93.
ugé Emmanuel de
02.
uge (mer) *16*, 17, 31,
5.

S - T

batier 61.
cy, Sylvestre de 93.
ïd (Haute Égypte)
9.
ïd Pacha 101, 106.
int-Hilaire, Geoffroy
2, *24*.

Salt 61, 63, 65, 66, 68,
69, *74*.
Sân-el-Haggar (*voir
aussi* Tanis) *126*.
Saqqarah 26, 31, *32-33*,
103, 106.
Sarcophages 37, *36*, *46*,
59, 67, 105, 110, *117*,
126.
Sarrasins *28-29*.
Savary 36, 37, *41*.
Sebekemsaf 56, 57.
Sebekhotep 21.
Sekhmet 75.
Selseleh *56*, 57.
Septime Sévère *26*, 27.
Sérapis (temple de) 15,
103.
Séti Iᵉʳ 66, *80*, *92*, *97*,
110, *111*.
Sicard, Claude 34, 35, 36.
Soanne 66.
Sobek *25*, 26.

Sphinx 42-43, 67.
Strabon 24, 25, 26, 27,
104.
Suez (canal de) *101*, 106.
Tacite 27.
Taharka (colonne) *75*.
Tanis 65, 105, 126, 127.
Thèbes 23, 27, 36, 55,
64, 65, 82, 96, 106, 107,
116.
Théodose Iᵉʳ 13, 14.
Théodote 14.
Thévenot, Jean de 31,
32-33.
Thouéris *119*, *125*.
Thoutii (général) 65.
Thoutmès III 98.
Thoutmosis Iᵉʳ 64.
Thoutmosis III 56, 64,
65, 110.
Thoutmosis IV *21*.
Toutânkhamon 58, 105,
113-126.

V

Vallée des Rois *49*, *80*,
98, 114, 115, 116.
Vanleb 30, 31, *32-33*.
Volney 36, 38-39.
*Voyage dans la Basse
et la Haute Égypte*
(Denon) 50-51.
*Voyage en Syrie et en
Égypte* (Volney) 38.
Voyages au Levant
(Thévenot) *32-33*,
61.
*Voyages en Égypte e
t en Nubie* (Belzoni)
69, *71*, *73*, 74.
Vyse *37*.

W - Y

Wilkinson *58*, 95, 96.
Young 93.

CRÉDITS PHOTOGRAPHIQUES

rtephot/Bridgeman, Paris 2. Artephot/Nimatallah, Paris 62g. BnF, Paris 15h, 17d, 20, 22h, 23, 32hg,
hd, 32b, 33h, 33b, 34-35, 54h, 55h, 55bg, 56-57, 57h, 58, 60h, 60b, 62d, 66-67, 69h, 69hd, 96h, 105, 106h,
8, 135, 137h, 137b. Ch. Bonnet 150. Bridgeman Archives, Londres 83, 100. British Museum, Londres
21b, 72. CFEETK 145, 152h. Charmet, Paris, 30h, 30b. P. Clayton, Londres 12, 68h, 68b, 70-71, 82.
ʳ 14-15, 18, 24h, 26h, 26b, 27, 36h, 36-37, 37h, 38g, 38d, 39, 40-41, 42-43, 44-45, 46, 47, 50-51, 51, 55bd,
ɔ, 59, 61, 63h, 63b, 64, 64-65, 66, 73h, 73b, 74-75, 76-77, 78-79, 80-81, 87, 88h, 88b, 89, 91, 92b, 93h, 93b,
h, 95h, 95b, 96-97, 98, 99, 103, 106b, 107, 108d, 109bd, 110, 111, 115h, 115b, 119h, 119b, 120h, 120b, 121d,
lm, 121b, 124h, 124b, 125h, 125b, 126h, 126b, 130h, 131, 134, 138h, 138b, 156, 163b. B. Dubrule, Paris
2b. Edimédia, Paris 52, 53, *152*. Fotomas Index, Londres 1ᵉʳ plat. Gallimard, «L'Univers des Formes»,
ris 112, 113, 116h, 116b, 117b. Giraudon, Paris 17g, 28, 29, 48, 49, 86, 90, 101. Kutshera, Monlivaut 31,
8g. Musée du Louvre/Ph. Chuzeville, Paris 139h, 162, 163h, 164g, 164d, 165h, 165b, 166b, 167h, 167b.
agnum, Paris 13. Office du Livre, Fribourg 84-85. Rapho, Paris 117h, 119m, 121h. Gerster/Rapho, 140.
MN, Paris 65h, 94b, 102, 105, 138bd. Scala, Florence 16. Sygma, Paris 147. Unesco/Nenadovic, Paris
l b. Unesco/D. Roger, Paris 141h. Roger-Viollet, Paris 104, 109h, 109b, 114, 127, 129, 136.

ÉDITION ET FABRICATION

ÉCOUVERTES GALLIMARD
OLLECTION CONÇUE PAR Pierre Marchand.
RECTION Elisabeth de Farcy. COORDINATION ÉDITORIALE Anne Lemaire.
RAPHISME Alain Gouessant. COORDINATION ICONOGRAPHIQUE Isabelle de Latour.
IVI DE PRODUCTION Fabienne Brifault. SUIVI DE PARTENARIAT Madeleine Giai-Levra.
SPONSABLE COMMUNICATION ET PRESSE Valérie Tolstoï. PRESSE David Ducreux et Alain Deroudilhe.

LA RECHERCHE DE L'ÉGYPTE OUBLIÉE
DITION Elisabeth de Farcy. ICONOGRAPHIE Anne Lemaire. MAQUETTE Raymond Stoffel
Valentina Leporé. LECTURE-CORRECTION Dominique Froelich et Jocelyne Marziou.
OTOGRAVURE Di Gamma.

Jean Vercoutter († en 2000) aurait pu être peintre. Mais il a préféré être archéologue...
Nommé en 1939 pensionnaire à l'Institut français d'Archéologie orientale du Caire
(IFAO), il n'y arrive qu'en 1945, pour cause de Seconde Guerre mondiale.
Il participe aux fouilles de Karnak, puis travaille sur différents sites du Soudan,
alors inexplorés. En 1955, le projet du barrage d'Assouan rend urgent le sauvetage des
monuments. Directeur de l'« Antiquities Service » de Khartoum, Jean Vercoutter
estime à 300 le nombre de sites menacés. Grâce à une extraordinaire coopération
internationale, la plupart seront sauvés. Directeur de l'Institut de papyrologie
de Lille dans les années 1960, puis directeur de l'IFAO, Jean Vercoutter a été élu
en 1984 à l'Académie des inscriptions et des belles-lettres.

Pour Victor, Akira et Thomas

*1er dépôt légal : novembre 1986
Dépôt légal : novembre 2006
Numéro d'édition : 147120
ISBN : 2-07-034246-8
Imprimé en Italie par STIGE*